# EL NIÑO ALEGRE

## MONTESSORI DESDE EL NACIMIENTO HASTA LOS TRES AÑOS

Susan Mayclin Stephenson

**EL NIÑO ALEGRE**
**Montessori desde el Nacimiento hasta los Tres Años**


**Spanish translation of THE JOYFUL CHILD,**
**Montessori from Birth to Three Years**



**Traductoras y Traductores**
Ana Franky (Marruecos)
Ada Susana Chavez Cuyubamba (Perú)
Alvaro Franky (Colombia)
Eder Cuevas Iturralde (Mexico)
Inés Cristófol Sel (España)
Judith Vásquez (Perú)
Lyda Maria Franky (Colombia)
Maria Belén Garcia (Argentina)
Nicole Hammerschlag Ortiz (Puerto Rico)
Paul Robert Williams Cueva (Ecuador)
Perla Aurora Britez Larrosa (Paraguay)
Zahra Sherman (USA)

Michael Olaf Montessori Company
PO Box 1162
Arcata, CA 95518, USA
www.michaelolaf.net
michaelolafcompany@gmail.com

ISBN 978-1-879264-26-7

**Portada:** Una interpretación de una pintura al óleo del autor

*Cada vez que nace un niño, trae consigo la esperanza de que Dios aún no está decepcionado del hombre.*

—**Rabrindranath Tagore**,
poeta laureado de la India
y admirador de la Dra. Montessori

*La observación prueba que los niños pequeños son dotados de poderes psíquicos especiales, y señala nuevas formas de extraer estas habilidades - literalmente "educando en cooperación con la naturaleza". Entonces aquí comienza el nuevo camino, en el que no será el profesor quien enseñe al niño, sino el niño quien enseñe al profesor.*

—**Maria Montessori**

## PRIMERA PARTE, EL PRIMER AÑO

## SEGUNDA PARTE, EDAD 1-3

## TERCERA PARTE, EL ADULTO



## APENDICE

# INTRODUCCIÓN

Los descubrimientos realizados por Maria Montessori han cambiado por completo nuestra visión del niño y de cómo se desarrolla la vida desde sus primeros momentos. Montessori no solo descubrió el inmenso potencial interior oculto en el bebé, un ser aparentemente pequeño e indefenso, sino que también averiguó cómo ayudarnos a apoyar este potencial desde el comienzo de la vida.

Es importante proporcionar esta información con la suficiente antelación a los padres que esperan un bebé, de manera que les de tiempo a prepararse; pero también es importante llegar a los jóvenes durante la adolescencia, cuando buscan su propio potencial, pretenden comprender los cambios corporales y mentales a los que se enfrentan y tratan de averiguar quiénes son y cuál es su misión.

Susan Mayclin Stephenson ha observado durante muchos años que estos principios funcionan con niños de cualquier país y cultura. En El Niño Alegre, Susan comparte, de una forma elegante y compasiva, lo que sabemos de los tres primeros años de vida del niño. Estoy convencida de que sus palabras ayudarán a crear una vida mejor para los niños de todo el mundo.

**—Dra. Silvana Quattrocchi Montanaro,**

entrenadora fundadora del curso de Asistentes a la Infancia en la Asociación Montessori Internacional.

# PRÓLOGO

Un pequeño brote plantado en suelo fértil, expuesto a la cantidad correcta de luz solar, calor y humedad, crecerá y se convertirá en una planta sana y espléndida. El renacuajo de la rana arbórea sabe cuánto tiempo debe vivir en el agua y cuándo ha llegado la hora de trasladarse a un nuevo entorno terrestre. Al igual que una planta, el bebé humano necesita un ambiente nutritivo, tanto desde un punto de vista físico como emocional, del cual pueda extraer lo necesario para crecer. Y como la rana arbórea, también necesita un ambiente que cambie según sus fases de desarrollo.

Creo que el bebé humano nace con todos los instintos necesarios para crecer y ser feliz cuando se satisfacen sus necesidades; pero, ¿qué clase de ambiente cubre esas necesidades? El cálido abrazo de una madre justo después del nacimiento despierta la compasión y comienza a enseñar al niño cómo deberíamos tratarnos unos a otros. ¿Y después?

Todas las culturas poseen sabiduría, aunque en la época moderna se ha perdido gran parte de ese conocimiento. Los primeros tres años de vida son demasiado importantes para realizar experimentos, pero las reglas generales de Montessori que aquí se presentan, han resultado acertadas en todo el mundo, sin importar la cultura del niño, durante más de cien años. El objetivo de este libro es ayudar a los padres a buscar, descubrir, apreciar y cubrir las necesidades mentales, físicas y emocionales del niño durante los tres primeros años de vida.

A pesar de que llevo casi cincuenta años investigando este tema, aún sigo aprendiendo. Recuerdo una vez en que me di cuenta de algo que me sorprendió.

Fue durante las primeras presentaciones en EE. UU. del programa de Asistentes a la Infancia Montessori que había comenzado en Italia en 1947. La primera diapositiva mostraba un niño muy pequeño, inclinado sobre un acuario, que sacaba agua con una jarra medidora naranja. Yo había preparado una charla sobre cómo distraer a un niño de una actividad inapropiada. Pero lo que sucedió a continuación me dejó estupefacta.

En las siguientes diapositivas este niño, de solo dos años, sacaba poco a poco el agua del acuario con la jarra y la vertía en un cubo que estaba en el suelo, con la precaución de dejar agua suficiente para el pez. A continuación, limpiaba el verdín de las paredes del acuario y volvía a llenarlo con agua limpia del grifo. Por último, utilizaba un pequeño trapeador para limpiar las gotas de agua que se habían caído al suelo durante su trabajo.

Me quedé boquiabierta. Llevaba muchos años dando clase a estudiantes de entre los dos años y la edad adulta y nunca se me había pasado por la cabeza que un niño de dos años fuera capaz de algo semejante.

Para mí siempre ha sido un placer enseñar con la pedagogía Montessori, pero aquel día descubrí que, para conseguir el máximo efecto a la hora de liberar el potencial del niño y, por tanto, el de la raza humana en su conjunto, necesitaba aprender más acerca de los niños de cero a tres años. He continuado durante muchos años aprendiendo y compartiendo mis descubrimientos. Una de las funciones que más me gusta del libro *El Niño*

*Elegre* es cuando se usa durante las clases de desarrollo humano en educación secundaria. Estoy segura de que estos jóvenes serán unos padres muy especiales.

Gran parte de la información contenida en este libro se ha traducido en otros idiomas; la traducción del título en la versión japonesa es «Puedo, puedo, puedo», y se ha convertido en un libro de texto para cursos *online* de crianza. Espero que esta obra ayude al lector a comprender y apreciar el milagro de los primeros años de vida y que le anime a seguir aprendiendo.

# PRIMERA PARTE, EL PRIMER AÑO

## EL PRIMER AÑO: LOS SENTIDOS

### *Antes del nacimiento*

Sabemos muy poco acerca de lo que de verdad experimenta el bebé durante los nueve meses que pasa en el útero, pero suceden muchas cosas. La piel, el primer órgano sensorial y el más importante, está completa tras siete u ocho semanas de gestación. El sentido del olfato está listo para funcionar hacia el segundo mes de gestación. El gusto está activo hacia el tercer mes. Y el desarrollo estructural del oído se completa entre el segundo y el quinto mes.

No sabemos con exactitud lo que el bebé percibe, siente, intuye, piensa o comprende. Pero sí sabemos que responde a las voces, a los sonidos y a la música. Por eso, lo mejor que podemos ofrecerle es un rato diario de tranquilidad para hablarle, cantarle o tocar música agradable para él. Los expertos que estudian la adquisición del lenguaje afirman que el aprendizaje de la lengua materna comienza en el útero. El estudio de la vida de los grandes músicos revela que su exposición a la buena música empezó ya en el vientre materno. Por ejemplo, el famoso violinista británico Yehudi Menuhin creía que su talento musical se debía en parte a que sus padres estaban siempre cantando y tocando música antes de que él naciera. Los padres que cantan a sus hijos durante la gestación notan que esas mismas canciones tienen un efecto relajante en los niños tras el nacimiento.

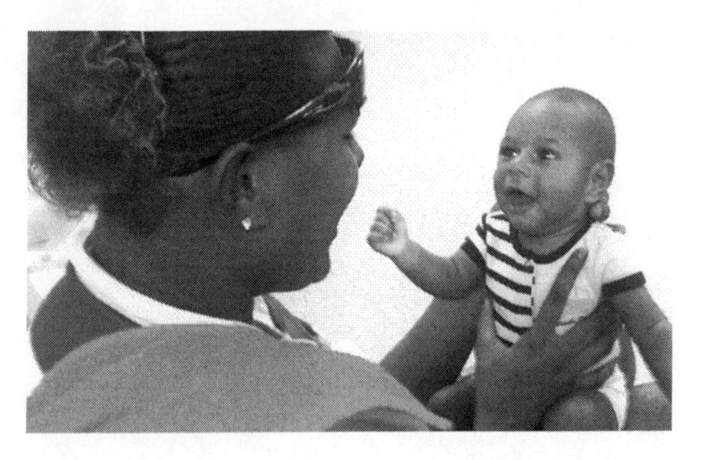

*Es posible que el feto absorba los ritmos particulares de la lengua materna. ¡De alguna manera el feto ya está trabajando en el aprendizaje de su lengua!*

—Silvana Montanaro

En 1995 me reuní con la Sra. Shinichi Suzuki, de la escuela de música Suzuki, en Matsumoto (Japón), para intercambiar ideas sobre el entorno de los niños pequeños. Tanto para Montessori como para Suzuki, el objetivo es crear una relación amorosa entre el niño y el adulto, proporcionar al niño la alegría del logro y el desarrollo de sus talentos y, mediante el conocimiento de sus necesidades, para ayudarle a crear una sociedad más pacífica. Ambos debatimos sobre el mejor modo de ayudar a los niños y coincidimos en que nuestro trabajo debe comenzar antes del nacimiento.

*Música y lenguaje*

Durante los primeros días, meses y año de vida, el niño se interesa especialmente por el sonido de la voz humana y observa el rostro y los labios de la persona que habla. No es casual que la distancia de enfoque de los ojos del recién nacido coincida con la distancia exacta entre su cara y la de su madre, mientras lo amamanta. Puede que las primeras experiencias importantes de comunicación se produzcan durante la lactancia. Podemos alimentar el profundo interés del bebé por el lenguaje y prepararlo para el posterior lenguaje oral si hablamos con él de forma clara, sin elevar la voz, sin emplear el tono antinatural a menudo reservado para hablar con las mascotas y no simplificar demasiado el lenguaje en precencia del niño. Podemos contar historias divertidas e interesantes de nuestras vidas, recitar nuestros poemas favoritos, contarle sobre lo que estamos haciendo, - "Ahora te estoy lavando los pies y froto los dedos uno a uno para que se queden bien limpios", y disfrutar con este importante acto comunicativo. También podemos escuchar música, el silencio, o escucharnos el uno al otro.

Un adulto puede entablar una conversación con cualquier niño, por pequeño que sea, del siguiente modo: cuando el niño emite un sonido, puede imitar el tono y la duración de dicho sonido (bebé: «maaaa ga»; adulto: «maaaa ga», etc.). La primera vez que esto sucede, solemos obtener una respuesta sorprendente por parte del niño, como si dijera: «¡Por fin alguien que habla en mi idioma!». Después de varios intercambios similares, muchos niños comenzarán a emitir sonidos adrede para que el adulto los imite, y eventualmente acabarán imitando el sonido del adulto. Es una forma inicial de comunicación apasionante para ambas partes. No son balbuceos infantiles, es comunicación real.

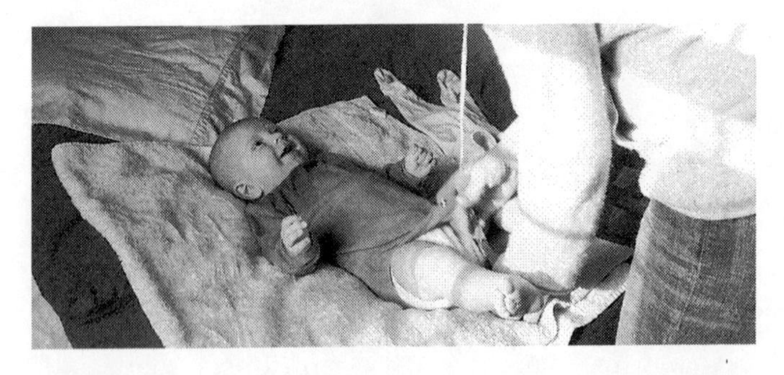

El niño se queda embelesado mientras le explican cómo lo cambian y visten.

Durante el primer año, las actividades más importantes y que causan mayor impresión en el niño son el cambio de pañal y de ropa, la lactancia, el baño y cuando se le coge en brazos. Pida permiso o dígale al niño que va a cogerlo. Si tiene oportunidad, pregúntele, antes de tomarlo en brazos, si está preparado para que lo sostengan, lo vistan, lo amamanten o lo bañen. Los niños saben cuándo les están haciendo una pregunta seria y cuando les ofrecen la oportunidad de elegir. Mientras cambia o baña al niño, en lugar de distraerle con un juguete, mírele a los ojos, explíquele lo que está haciendo, hágale preguntas, dele opciones. No debemos subestimar este tipo de comunicación llena de amor y respeto que propicia que el bebé quiera hablar con usted, pues ese deseo de comunicación es la base para un buen desarrollo del lenguaje.

El correcto desarrollo del lenguaje también depende de la lengua que el niño oye a su alrededor durante los primeros días, meses y años de vida. Para ellos, el hecho de que les hablen es tan valioso como oír las conversaciones de sus padres con otros adultos. El padre, madre o el hermano mayor que habla y canta al niño le está enseñando también el lenguaje. Es sorprendente la gran cantidad de lenguaje que asimila el niño durante los primeros tres años de vida, que culmina con una completa compresión de la lengua de una forma que el adulto no puede igualar.

Nunca es demasiado pronto para mirar libros con el niño y hablar de ellos. Se pueden colocar algunos bonitos libros con hojas duras de cartón alrededor del bebé para que disfrute mirándolos cuando aún no es capaz de sentarse. Estos libros ofrecen una amplia variedad de temas interesantes en una edad en la que los niños quieren ver, oír —y hablarlo— todo.

### *El llanto como comunicación*

La respuesta al llanto infantil varía mucho según las distintas culturas, desde la creencia de que el llanto fortalece los pulmones hasta la incredulidad absoluta de que alguien sea capaz de, dejar llorar a un bebé durante un instante. Recomendamos que dedique tiempo y esfuerzo para aprender lo que su hijo le está diciendo con el llanto. Para ello, no hay recetas, y cada niño es diferente.

En una visita a una guardería de la Universidad de Roma durante mi formación como Asistente a la Infantil, observé que una «profesora» respondía al llanto de los niños del siguiente modo: en primer lugar, les hablaba dulce y suavemente y les hacía saber que estaba a su lado. En muchos casos eso bastaba para tranquilizar a los bebés y que dejaran de llorar. No obstante, si sus palabras no surtían efecto, la «profesora» establecía contacto visual con el niño o le colocaba la mano encima con suavidad. A menudo eso servía para calmarlo por completo. En caso contrario, comprobaba si existía malestar físico, una arruga en las sábanas, un pañal mojado o necesidad de cambiar de postura. Al solucionar estos problemas, la mayoría de las veces el niño se tranquilizaba y desaparecía la necesidad de llorar. En muy pocas ocasiones el niño necesitaba alimentarse.

Por fin hay un BUEN chupete
que no se me queda en la boca.

Los debates sobre el uso correcto del "chupete" o de los "mordillos" resultan muy interesantes teniendo en cuenta el gran problema de obesidad que existe en la actualidad. Quizá si tratáramos de «consolar» a los niños de otro modo que no fuera proporcionándoles comida o chupetes—lo cual les enseña que la felicidad reside en llevarse algo a la boca—podríamos ayudar a criar niños que estén más en contacto con sus necesidades. Hay un juguete que denominamos «el buen chupete» que no se queda fijo en la boca a menos que un adulto lo sostenga cuando el niño necesita succionar o que el propio niño lo agarre cuando necesita frotarse las encías durante la dentición. Este chupete facilita la succión y la fricción de las encías sin crear hábitos de dependencia.

Es habitual que un padre o madre atentos piensen que el llanto siempre significa hambre o dolor. Pero el bebé puede estar preocupado, tener un mal recuerdo, sentir humedad, frío, calor, miedo, soledad o aburrimiento. Hay muchas razones para reclamar ayuda. Los padres o madres atentos que pasan mucho tiempo observando y escuchando, pueden aprender incluso durante los primeros días, el significado de los distintos tipos de llanto y proporcionar, en consecuencia, la solución correcta. Todos queremos que nos comprendan, incluso los más pequeños.

Para las culturas donde el niño tiene su propia habitación, este es un modelo excelente a partir del nacimiento. Se puede adaptar a medida que el bebé crece y cambian sus necesidades.

*Ver y procesar*

El recién nacido proviene de un entorno relativamente oscuro y silencioso, por lo que necesita cierto tiempo para adaptarse a las imágenes y sonidos del mundo extrauterino. ¿Qué ve su hijo en casa? Durante las primeras semanas y meses es bueno protegerle de los sonidos fuertes y rodearlo de colores suaves en un entorno sin demasiados objetos a la vista. Cuando se sobreestimula visualmente a un niño, este suele cerrar los ojos para aislarse del mundo. Es mejor inspirar e invitar al niño a explorar visualmente el entorno mediante colores suaves y pocos objetos en vez de abrumarlo.

Cuando el niño ha recogido todas las imágenes, sonidos e impresiones sensoriales que deseaba durante un espacio de tiempo determinado, él sabe de manera innata que es hora de dormir para poder procesarlas. Imagine lo que es pasar de un ambiente cálido, suave, tranquilo y relativamente oscuro (el útero) a un lugar completamente nuevo lleno de luces, sensaciones táctiles y sonidos desconocidos, excepto las voces de la familia. Es útil respetar la sabiduría del bebé sobre cuánta información recoger, cuándo dormir para descansar y procesar, y cuándo levantarse para continuar. Al nacer, el bebé ya sabe regular el sueño para tener una salud física y mental óptima y para integrar nuevas experiencias. Si respetamos este conocimiento intuitivo después del nacimiento estaremos en condiciones de prevenir los problemas de sueño que a menudo agotan a los nuevos padres y a los bebés. Teniendo en cuenta que el sueño es vital por muchas razones y que no debe ser interrumpido, debemos intentar, como siempre han predicado las culturas ancestrales, no despertar al bebé excepto en caso de emergencia.

En contra de lo que se piensa, no es una buena idea *entrenar* al niño para que duerma. Si tenemos al bebé en brazos hasta que se queda dormido, no le damos la oportunidad de calmarse por sí mismo y crear su propia forma de dormir cuando está cansado, que es lo ideal. Para evitar crear una dependencia hacia el adulto en una actividad tan natural como esta, podemos observar al bebé y respetar, desde los primeros días, su capacidad para dormirse solo de día y de noche.

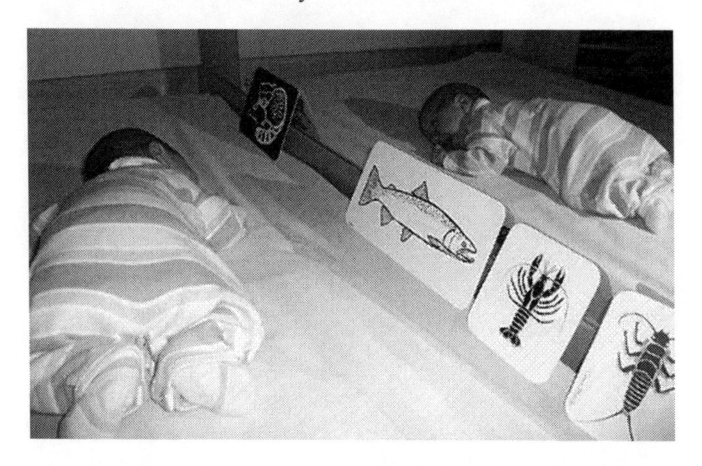

La «tarea» de este niño consiste en mirar al espejo y observar las bonitas imágenes en blanco y negro que le ha hecho su padre.

Aunque se piensa que el niño debe dormir bocarriba, es importante que también pase tiempo bocabajo para ejercitar los músculos del cuello, los brazos y las piernas. Como siempre, observe al niño para ver qué intenta aprender. Algunos bebés prefieren estar bocabajo, a menudo acurrucados sobre las rodillas con las nalgas hacia arriba. Para otros, en cambio, es suficiente comenzar por unos pocos minutos bocabajo que irán aumentando de manera progresiva. El adulto debería observar al bebé para asegurarse de que no se queda atascado en un sitio incómodo y para saber cuándo desea que le den la vuelta.

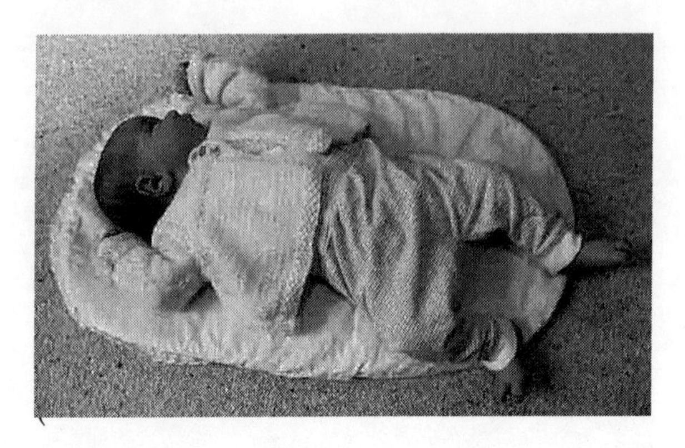

Es importante tener desde los primeros días de vida las manos y los pies descubiertos para sentir y explorar.

El niño es curioso, necesita exploración sensorial desde los primeros días y quiere estar con su familia, no apartado en una habitación tranquila durante todo el día. Para ayudar a que esto sea posible, los padres pueden utilizar algún tipo de alfombra o manta especial para bebés, o un colchón pequeño que se pueda trasladar a cualquier lugar de la casa donde esté la familia en cada momento: cocina, dormitorio, salón, sala de estar, etc. De este modo, el bebé puede estar con la familia, observar la vida y dormirse cuando lo necesite. El niño mantendrá así el contacto con sus ritmos naturales de sueño y de estar despierto. También puede oír conversaciones, risas, música o el apacible silencio. Además, en esas alfombras el niño puede practicar habilidades de desarrollo tales como explorarse las manos y los pies —cosa que ya hacía en el útero—, ejercitar y estirar los músculos, hacer flexiones, estirarse y levantarse, todo ello sin perder el ritmo natural de sueño y de vigilia.

Incluso durante el primer año de vida se puede disfrutar de una exposición de arte.

*No deberíamos ver a los recién nacidos como seres humanos pequeños e indefensos, sino como personas que, aunque sean de tamaño pequeño, que poseen una capacidad mental inmensa y con numerosas habilidades físicas, que no se manifiestan a menos que el entorno ayude en la expresión de la vida.*

—Silvana Montanaro.

***La mente absorbente***

Durante estos primeros años, los niños absorben en cierto modo la vida, el comportamiento y las actitudes de quienes los rodean. Un adulto nunca es demasiado amable, demasiado respetuoso, demasiado sabio ni presta demasiada atención a los sonidos e imágenes del entorno que el niño oye u observa.

Tanto el padre como el bebé necesitan un tiempo diario para conocerse mientras se bañan, pasean o simplemente están juntos.

Cuando los niños no están con sus padres, se debe prestar atención de que los demás adultos con los que el niño pasa tiempo, se encuentren dotados con los más altos estándares. El entorno que creamos para nuestros hijos será el mismo que ellos tenderán a reproducir con sus hijos, con sus nietos y así sucesivamente.

*Materiales*

Durante estos primeros años, los seres humanos que rodean al niño son los «materiales» más influyentes e importantes de su mundo. La familia más cercana, cuyas voces ya oía en el útero, suponen las experiencias auditivas más atrayentes y tranquilizadoras para el bebé. Del mismo modo, sus rostros son las experiencias visuales más importante mientras coordina mentalmente las voces y las caras. Por otra parte, las experiencias táctiles más relevantes son el tacto suave y el olor del cuerpo de la madre cuando lo amamanta, el olor familiar y las caricias del padre durante el baño diario, y el contacto con los demás miembros de la familia —y con los amigos de la familia pasadas unas semanas— cuando lo tienen en brazos.

Los primeros «materiales» no humanos incluyen objetos del mundo natural para que el niño los toque, instrumentos musicales reales, música grabada, ya sea étnica, clásica o de otros estilos.

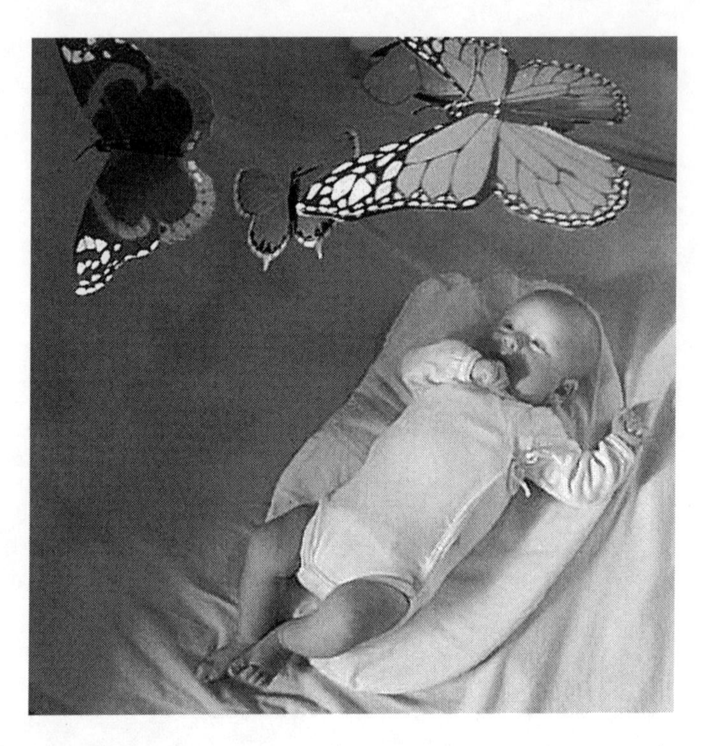

Este móvil de mariposas, con la reproducción de cinco mariposas reales, es uno de los preferidos por los niños.

Los primeros materiales visuales recomendados son los móviles, primero en blanco y negro con alto contraste y poco más tarde los de colores que se mueven fácilmente con las corrientes de aire de la habitación. Es mejor limitar los objetos del móvil a un máximo de cinco, y colgarlo en un lugar donde el niño esté con la familia, tal vez encima de una alfombra en la sala de estar, pero no sobre el cambiador, donde es más importante la conversación con el padre o madre que la distracción visual. Acuéstese donde va a colgar un móvil y fíjese en lo que verá el bebé. ¿Hay alguna luz en el techo que obstruya su campo visual? ¿Resulta agradable mirar el móvil?

Y por último, para mostrar al niño sobre el mundo real, busque móviles con objetos bonitos y agradables como mariposas o pájaros que se muevan con las corrientes de aire tal y como lo harían en la vida real, en el cielo o como en el agua (no jirafas o elefantes voladores). También podría buscar o hacer móviles con bellas formas abstractas similares a las de algunos artistas famosos como Alexander Calder. Ofrezca lo mejor a los más pequeños.

# EL PRIMER AÑO:
## ALCANZAR Y AGARRAR

Un simple aro de madera colgado de una cinta es un buen primer juguete para agarrar.

### *El desarrollo del movimiento*

Podemos definir la "mielinización" como el desarrollo de una vaina de mielina alrededor de una fibra nerviosa. Este revestimiento graso sirve de aislante para proteger los mensajes que el cerebro envía a los diversos músculos del cuerpo y obtener así un movimiento voluntario o coordinado. El recién nacido solo es capaz de controlar los músculos de la boca y la garganta, lo cual es necesario para comer y comunicarse. Pero hacia el final del primer año ocurre un milagro: el niño controla los movimientos de todo su cuerpo; ha aprendido a agarrar y soltar objetos, a dar patadas, a reptar y gatear, a sentarse y dejar las manos libres para seguir desarrollándose, ¡e incluso suele estar a punto de ponerse de pie y caminar!

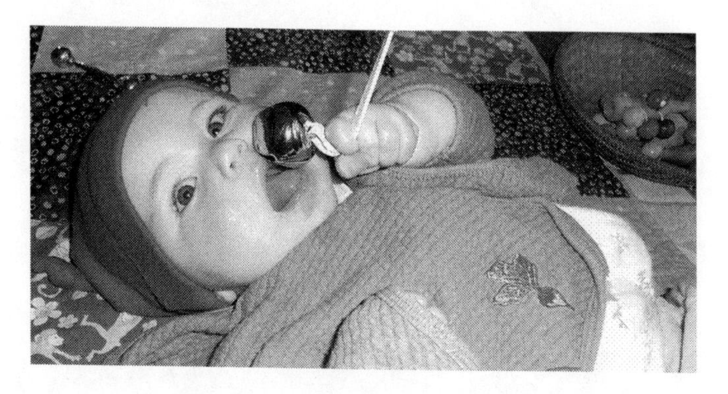

Una campanilla grande metálica en una cinta ofrece texturas y sonidos nuevos e interesantes.

Se trata de un proceso bidireccional; la mielinización crea movimiento, pero el movimiento también aumenta la formación de mielina, de modo que cuanto más permitamos al niño moverse más estaremos fomentando su óptimo desarrollo. El niño está naturalmente impulsado a esta importante tarea y es feliz llevándola a cabo. A menudo la frustración de no poder moverse es lo que le hace infeliz. Hay muchos inventos modernos que interfieren en el desarrollo natural del movimiento, por eso debemos asegurarnos de que los niños pasen el mayor tiempo posible en situaciones o lugares donde pueden mover todas las partes del cuerpo.

Es muy emocionante cuando el niño, después de mirar un objeto que cuelga sobre él y de estirarse de manera intuitiva, logra alcanzarlo y hace que el objeto se mueva. En vez de que los demás sean quienes cuiden de él y actúen, el bebé se ha acercado y ha actuado intencionalmente sobre su entorno. Literalmente, «él, ha cambiado el mundo».

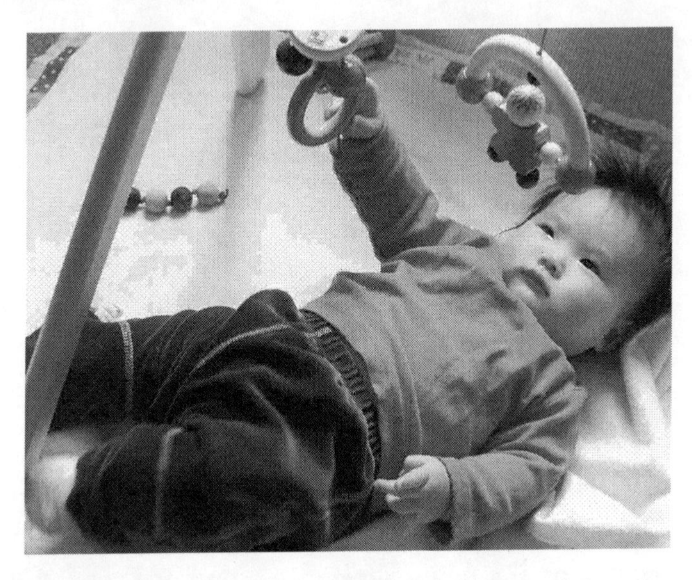

Cuando no es posible colgar un juguete del techo, podemos utilizar un «colgador de juguetes» de madera natural clara que también funciona bien.

***Juguetes que favorecen el desarrollo natural del movimiento***

Seleccionar con cuidado los juguetes en esta etapa, incluye buscar aquellos que admitan una amplia variedad de posibilidades de movimientos para el niño. Cada sonajero, juguete, rompecabezas y otras piezas de material han sido elegidos para un propósito específico.

Es el adulto quien debe vigilar que el desafío no sea tan sencillo que resulte aburrido, ni tan complicado que cause frustración y renuncia. Es fascinante observar cómo el niño trabaja de manera sistemática en una sola tarea a la vez: golpea o da patadas a un juguete que cuelga, se estira y alcanza para conseguir agarrarlo, lo agarra antes de ser capaz de soltarlo, lo suelta con una mano y lo agarra con la otra de manera alternada, utiliza el pulgar a la vez que los demás dedos y poco a poco aprende a usarlos en oposición al pulgar. Es como observar a un científico, aunque la planificación y la sabiduría son innatas, no aprendidas en una universidad.

Si es posible, acuéstese debajo del juguete colgante y vea lo que el niño ve. El equipo en sí (el móvil) no debería distraerle de la actividad propuesta. Lo mejor es colgar los juguetes —un simple aro de madera o una campanilla grande— del techo o de un colgador de madera. Para que el niño permanezca atento y feliz, los equipo (los móviles) deberían de girar o es posible que desee organizar juguetes colgantes en más de un lugar de la casa. Cuando el niño está «trabajando», debemos tener cuidado en respetar la actividad y no interrumpirlo, al igual que no nos gustaría que nos interrumpieran si estuviéramos realizando una tarea importante. Pero usted se dará cuenta, como también lo hice yo con un nieto mío, de que llegará un momento en el periodo de trabajo del niño, donde con un juguete colgante, él haya acabado de observarlo y que quiera

¡que ya se lo quiten! Uno de mis nietos levantaba la mano derecha y se tocaba la parte de atrás de la cabeza cuando comenzaba a cansarse de su «trabajo con el juguete colgante», y si no lo llevábamos a él o apartábamos el juguete colgado, se ponía a llorar.

Explorar el borde de una alfombra, atrapó a este niño durante bastante tiempo mientas aprendía a usar sus manos de maneras diversas.

Pronto el niño será capaz de tumbarse de lado y mirar libros de hojas duras que han sido abiertas frente a él, tratará de alcanzar juguetes e incluso se le ocurrirá darse la vuelta para agarrarlos. En todas las culturas a lo largo del tiempo los adultos han percibido la atracción que sienten los niños por agarrar objetos y jugar con ellos. Si ponemos a su alcance algunos de sus juguetes favoritos en la cama, colchón o manta de juegos, el niño adquiere plena conciencia de su habilidad para alcanzar y tocar o agarrar, crear sonidos con sonajeros y practicar las importantes tareas encomendadas. Debemos proporcionar una amplia variedad de objetos y cambiarlos con frecuencia para mantener al niño felizmente ocupado. Nuestro papel para crear el ambiente donde el niño desarrollará su potencial es importantísimo.

En la relación de los padres y profesores con los niños, la observación y protección de los periodos de intensa concentración y de las necesidades del niño, comienzan en el nacimiento, aumentan de manera gradual y continúan durante muchos años.

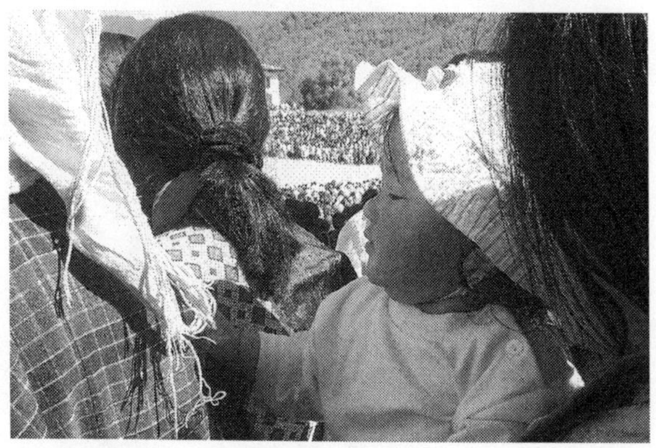

A esta edad, un chal de algodón es más interesante que los bailarines de una celebración anual en Bután.

*Materiales naturales para los juguetes*

A lo largo de los años se han retirado muchos juguetes del mercado a medida que se ha conocido el peligro de estar expuesto a los plásticos y productos químicos. Las conversaciones entre fabricantes de juguetes, agencias gubernamentales y grupos que velan por la seguridad de los niños son constantes. Si embargo, muchas personas prefieren comprar objetos fabricados en países que garantizan la máxima calidad para los niños y que emplean materiales naturales.

Durante estos primeros meses de vida tan sensoriales e influenciables, podemos enriquecer las experiencias del niño llevándole a la naturaleza para que vea el contraste de las hojas de un árbol moviéndose con el viento, escuchar los sonidos de los pájaros y oler el aire fresco que sale del océano, las llanuras o las flores del jardín. En el interior de la casa podemos proporcionarle diferentes texturas para que las toque. La diferencia de peso, textura y la sutilidad de los materiales naturales (seda, algodón, lana, madera, metal) es apreciable en la ropa, las sábanas y mantas, los muebles y los juguetes.

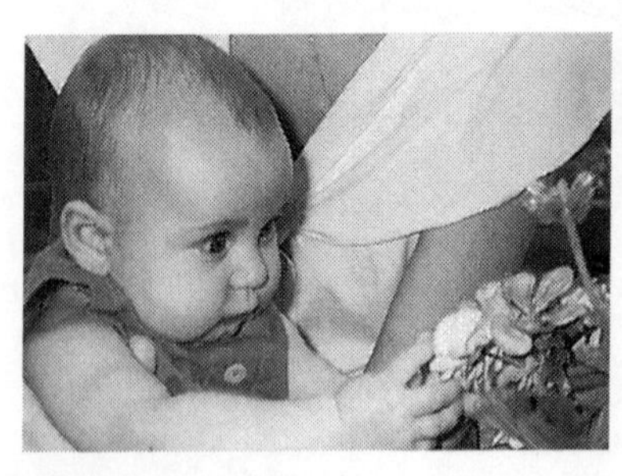

La importancia de explorar con los sentidos no es una idea nueva, durante muchos años ha sido algo intuitivo. Pero hay que plantearse *qué* debe tocar el niño y el enorme interés hacia los objetos naturales.

El filósofo y observador social francés Roland G. Barthes escribe en *Mitos de hoy:*

> *Los juguetes de hoy en día están producidos por lo general con tecnología, y no por la naturaleza. Se fabrican con una complicada mezcla de plásticos que resulta desagradable; no permiten el placer y la suavidad del tacto. Resulta peligroso que la madera esté desapareciendo progresivamente de nuestras vidas. La madera es un material familiar y poético; proporciona al niño el contacto continuo de un árbol, en una mesa o en un piso. La madera no corta, no se estropea y no se rompe con facilidad; puede durar mucho tiempo y vivir con el niño. Puede modificar poco a poco la relación entre los objetos, que son atemporales. Los juguetes de ahora son químicos y no proporcionan placer. Se rompen muy pronto y no tienen ningún futuro para con el niño.*

# EL PRIMER AÑO: SENTARSE Y TRABAJAR

Hace falta mucho tiempo y práctica para aprender a sentarse solo, pero el niño disfruta con el desafío.

## *El trabajo del niño*

Una buena definición del trabajo sería: «Una actividad que involucra tanto la mente como el cuerpo y que tiene un propósito determinado que satisface al individuo». Si el desafío es apropiado para la etapa de desarrollo en la que se encuentra el niño y si se respeta su concentración, el niño aceptará el reto, trabajará sin ningún tipo de elogios ni incentivos externos de ningún tipo y se mostrará activo, creativo, feliz, realizado y en paz.

Mientras investiga un juguete, el niño no siempre hace lo que esperábamos, pero eso no significa que su trabajo no valga.

Un día le di a mi nieto, de alrededor de año y medio, una caja para insertar piezas esperando que introdujera las bolas de madera por el agujero redondo y los cubos por el agujero cuadrado, tal como yo le había enseñado. Normalmente los niños lo intentan una y otra vez, y cuando comprenden la meta de asociar el objeto con su agujero correspondiente, repiten la actividad sin cesar. Pero esta vez él lo hizo una sola vez y después colocó las piezas en la bolsa de tela donde estaban antes. Luego las sacó de la bolsa y las puso cuidadosamente sobre la mesa. Luego las metió en la bolsa y las puso de nuevo en la mesa y así una y otra vez. Era obvio que la tarea que él había elegido resultaba tan válida como la mía, ya que tenía un objetivo lógico y razonado, y la repitió muchas veces con resolución y concentración. Y al final quedó satisfecho.

Con algunos juguetes en una canasta, un niño puede decidir cuáles escoger.

> *Es como si la naturaleza hubiera protegido a cada niño de la influencia del razonamiento adulto para dar prioridad al maestro interior que lo anima. Tiene la posibilidad de construir una estructura psíquica completa, antes de que la inteligencia de los adultos alcance su espíritu y produzca cambios en él.*
>
> —Maria Montessori

Mientras el niño crece, esta importante tarea continúa. Trabajará la vocalización, pero también el agarre con las manos, los movimientos del cuerpo, etc. A veces, el niño quiere practicar la misma habilidad —por lo general verbal o muscular— durante varios días hasta que ha terminado de aprender lo que pretendía y no vuelve a repetirla hasta varias semanas más tarde. Cada niño es diferente, y solo una cuidadosa observación nos mostrará lo que quiere y lo que está aprendiendo.

***Comer y trabajar sentado***

Cuando el niño aprende a sentarse solo, comienza un proceso de desarrollo natural en el que la relación con el adulto cambia para favorecer su crecimiento e independencia. El paso gradual del destete desde el pecho o abandono del biberón al vaso y la cuchara, y más tarde al tenedor se produce de una forma muy natural si observamos y seguimos al niño, mientras preparamos un entorno acorde con su desarrollo.

El algún momento del primer año, el niño se sentará solo. Cuando ayudemos al niño por primera vez a sentarse junto a una mesita con su silla para su primera comida, debemos asegurarnos que sentarse con asistencia dure poco tiempo. En lugar de comer mientras lo sostiene la madre cerca de su cuerpo, el niño comienza a pasar tiempo frente al adulto y aprende a sentarse a la mesa, a beber de un vasito y a comer con cuchara y tenedor. Esto no sucede de forma forzada, pero continuamente observamos que los niños se entusiasman cuando son capaces de imitar a las personas que los rodean y empiezan a comer solos. No se trata únicamente de la nueva distancia física que lo separa de su madre cuando se sienta frente a ella en lugar de estar en brazos, sino que marca el principio de una nueva relación en la que hay dos personas en vez de una, que deben aprender a respetarse y a amarse de un modo nuevo.

El niño tiene un maestro interior que sabe con exactitud cuándo conviene aprender a gatear, a sentarse, a pararse y a caminar. Él necesita que respetamos a ese guía interior y que confiemos en sus esfuerzos. El momento de sentarse puede llegar antes o después de aprender a gatear y es un gran paso para su independencia, ya que libera las manos para realizar más tareas, afrontar más desafíos y llevar a cabo más descubrimientos sorprendentes. Alcanzar esta fase es muy emocionante cuando no se ha ayudado al niño a sentarse de una manera artificial, ¡tanto como lo sería para nosotros aprender a esquiar o a hacer windsurf!

En esta etapa es importante proporcionar al niño juguetes y materiales con un propósito inteligente: sonajeros que se muevan o suenen de una forma interesante, juguetes que se puedan agarrar de diferentes maneras, cucharas y vasitos para practicar el modo de comer y beber.

### *La seguridad en los nuevos movimientos*

Una vez que el niño empieza a darse la vuelta, a sentarse y a gatear, el adulto debe examinar el entorno de una nueva manera y fijarse si hay muebles inestables, cables de lámparas u ordenadores, enchufes próximos al suelo, objetos pequeños, etc. Ningún niño quiere permanecer en una cuna o corralito, o peor aún, en un ¡andador o balancín!, cuando hay toda una habitación o toda una casa por explorar. Por lo tanto, se debe examinar la seguridad con mucha atención. A esta edad, algunos juguetes se pueden dejar siempre a mano para que el niño los use cuando quiera, mientras que otros por ejemplos, los de piezas pequeñas, han de permanecer fuera de su alcance y solo utilizarse cuando el adulto puede sentarse a jugar con él.

Todavía no hay consenso acerca de la seguridad de los juguetes de plástico durante esta edad en la que los niños se lo llevan todo a la boca. La boca es importante para comer y comunicarse, pero también lo es como órgano sensorial. Los niños pequeños se llevan los objetos a la boca para examinarlos, para aprender sobre su textura y su sabor. No queremos interferir en esta exploración, pero sí saber que todo lo que el niño maneja es seguro en este sentido.

Recomendamos emplear juguetes de madera natural o teñida en vez de los de madera pintada, sobre todo si vienen de países donde la pintura utilizada no se somete a controles de seguridad. También hay encantadores juguetes de algodón, lana y metal. Todos son más agradables que los de plástico y le enseñan al niño muchas más cosas acerca del mundo natural, tales como peso, textura, sonido y belleza.

Es mejor usar una estantería que una «caja de juguetes»: así resulta más fácil encontrar y aprender a guardar.

***La cantidad de juguetes disponibles y el aprendizaje para recogerlos***

A esta edad es una buena idea tener solo unos cuantos juguetes disponibles para el niño. Si es posible, se debe tener una pequeña estantería a baja altura con juguetes en un lugar de la casa donde el niño pase tiempo con la familia. Resulta bastante fácil para el adulto recolocar las cosas en la estantería cuando solo hay unos pocos objetos. A los niños de esta edad les gusta mucho que respetemos su «sentido del orden» porque quieren saber cuál es el sitio de cada cosa. Somos modelos para el niño: si nos ve recogiendo los juguetes y, sobre todo, disfrutando mientras lo hacemos, nos imitará naturalmente tan pronto como sea posible.

Observe qué juguetes utiliza, qué retos afronta en esta etapa de su desarrollo, y retire los objetos que se le han quedado desfasados. Por otro lado, mantenga sus juguetes favoritos hasta que deje de usarlos. La variedad es importante cuando cada juguete se selecciona con cuidado y requiere una nueva habilidad del niño.

*Muebles para sentarse*

La segunda mitad del primer año es también el momento de proporcionarle una silla que pese y sea segura, para trabajar y comer durante un rato cada día en esta nueva posición, porque ve a otras personas sentadas y quiere imitarlas. Si en lugar de ayudarle continuamente para sentarse se le permite alcanzar esta etapa con su propio esfuerzo y trabajo, el niño hace más ejercicio y aprende a hallar en una edad muy temprana, la satisfacción a través del esfuerzo.

Es un buen momento para invertir en una mesa y una silla de madera maciza adecuadas, un modelo con garantías que aguante a un niño que está aprendiendo a levantarse y a subirse solo a la silla.

# EL PRIMER AÑO:
## GATEAR, ESTIRARSE, PONERSE DE PIE Y CAMINAR

Moverse hacia un objeto que está fuera del alcance es el primer paso en el aprendizaje de una actividad muy importante: ¡gatear!

### *Libertad de movimiento*

Niños que tienen libertad para moverse sienten que pueden llegar a tener sus propias ideas e intereses. El experimento repetitivo de ver un objeto, alcanzarlo y explorarlo con las propias manos y boca, produce la tranquilizadora sensación, de que cuando queremos algo, podemos movernos y obtenerlo. Es así como se desarrolla un ego sano, un ser humano capaz de enfrentar los problemas de la vida con éxito.

Autoconfianza es un sentimiento interno que permite ser capaz de contar con sus propios recursos, lo cual viene de la experiencia de trabajo activo hecho en el ambiente gracias al movimiento libre. Es la sensación de poder personal al solucionar problemas, y este sentimiento de poder permanece en la persona para siempre. En el futuro, los objetivos van a cambiar (desde alcanzar un objeto interesante, como por ejemplo, una bola de color, a hacer los deberes del colegio y así sucesivamente), pero la situación psicológica sigue la misma; algo le interesa, necesita hacer algo para satisfacer este interés y usted tiene la seguridad de que tiene la habilidad para hacer eso.

*Movimientos activos en los primeros meses de vida ofrecen la experiencia integral de mente-cuerpo, de donde la autoconfianza se deriva, y con tan valioso instrumento, es posible enfrentar todos los retos de la vida.*

—Silvana Montanaro

Primero el niño mira y estudia visualmente el ambiente y este ha sido su trabajo durante muchas semanas antes de que sea capaz de moverse de tal forma que consiga alcanzar y tocar, combinando lo visual y lo táctil. Los padres normalmente quedan impresionados al ver que tan concentrado puede llegar a estar un niño cuando tiene interés y cosas apropiadas para estudiar y la concentración no se interrumpe.

Una madre, paseando a su bebe en el cochecito, se percató que el miraba fijamente a un cartel en un edificio. Cuando la madre salió, el bebé lloro, entonces la madre le dejo mirar el cartel. El bebé estudió el cartel por veintidós minutos - luego suspiró felizmente y miró hacia otro lado. ¿Qué estaba el pensando? ¿Qué estaba el haciendo? Era importante.

Uno de los logros más fascinantes para un niño es aprender a moverse a través del espacio para alcanzar un objeto deseado. Los niños hacen esto de diferentes maneras—boca arriba, boca abajo en el piso, lateralmente, arrastrándose, gateando, girando, levantando el vientre y alternando con los brazos y piernas. ¡Éste es un trabajo importante! En ocasiones el bebé emite algunos gruñidos o grita mientras trabaja, o se duerme por algunos segundos entre un abdominal y otro. El niño disfruta del proceso de experimentar y aprender, así como disfruta del éxito final de ser capaz de gatear. Podemos ayudar al bebé en esta valiosa labor al no interrumpirlo mientras trabaja y también podemos ofrecer bolas y juguetes que rueden despacio, invitando al niño a moverse; si el juguete se mueve muy rápido el niño va a desistir y si no se mueve no va a tener ningún reto. Ofrezca juguetes que sean interesantes para ver, tocar, sentir, y escuchar.

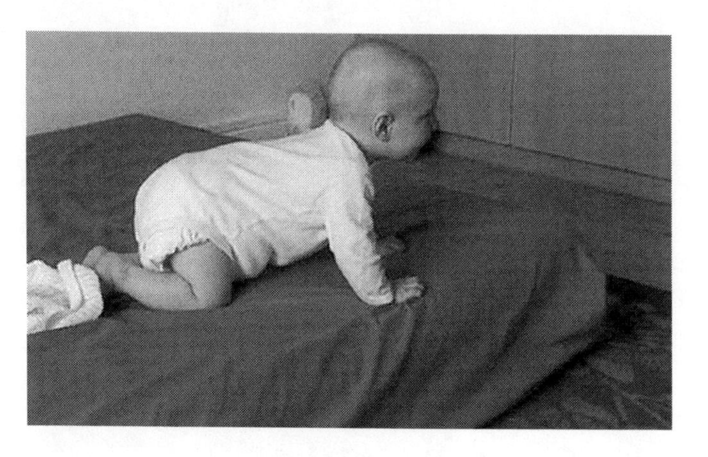

***Un ambiente natural y seguro***

Cuando el niño empieza a gatear - nunca sabe cuándo lo hará, pero lo hará - lo más relevante es la

seguridad del ambiente para el niño. Debemos mirar el ambiente y revisar su habitación, la cocina, la sala y todos los lugares donde el niño estará explorando de manera minuciosa. Un padre con experiencia va a saber qué buscar, pero para un padre novato convendría que revisara el hogar con un amigo quien pudiese predecir en que estaría el niño atraído contribuyendo así a crear un ambiente maravillosamente educativo para el niño, quien está aprendiendo a gatear, a levantarse para bien sostenerse y caminar.

En esta comunidad infantil Montessori en Japón una "barra" permite la práctica de levantarse en cualquier momento.

Recuerde que un ambiente favorable en ocasiones se destaca más por los objetos que son dejados de lado que por los que son incluidos. Entre los objetos que inhiben el desarrollo natural están: las cunas, los columpios para bebé, los saltadores, los andadores, los corralitos, los biberones y los chupetes.

Es reconfortante para un bebé que se le cargue; se le sostenga y se le abrace, pero también debemos ofrecer al niño, diariamente, desarrollar movimientos y otras habilidades del pensamiento: explorar el ambiente visualmente, escuchar sonidos, hacer ejercicio, dormir y despertarse de acuerdo a su necesidad, gatear, levantarse, moverse sosteniéndose en un mueble y caminar. Estar sobre el vientre mientras el bebé está despierto le permite al niño fortalecer su nuca mientras levanta su cabeza, sus brazos y piernas, mientras intenta levantar su cuerpo del suelo y se empuja hacia adelante con sus pies (¡o para atrás con los brazos!). Esta es una experiencia muy importante, pero observe cuidadosamente para ver cuando el niño está listo para ser puesto boca arriba o boca abajo semanas antes que él consiga ponerse en esta posición por sí mismo, y esté preparado, pues esta habilidad de voltearse puede ocurrir muy de repente, sin ningún aviso.

Un ambiente natural para el niño es el que ofrece adultos inteligentes y observadores, o niños mayores, y también un espacio interesante y seguro para que el niño descanse, explore y desarrolle habilidades.

Muchos niños en esta edad, que están casi caminando, ¡prefieren empujar un cochecito en lugar de subirse a este!

*Gatear, levantárse , pararse y caminar*

Cada niño tiene un horario interno de desarrollo físico que lo guía para saber el momento adecuado para empezar a levantarse el solo y pararse, y por cuanto tiempo practicar estas habilidades cada día.

Cuando sujetamos la mano del bebé para ayudarlo a caminar antes de su tiempo optimo, estamos enviando un sutil mensaje es decir que no estamos satisfechos con su horario interno y sus habilidades, o que deseamos que se apresure. Esto puede hacer de él un frustrado en sus propios intentos. Es mejor esperar, observar y disfrutar del despliegue del crecimiento único del niño mientras él sigue su guía interior.

Tener a un niño en brazos por largos periodos durante el día puede hacerlo dependiente del adulto para explorar el ambiente y sentirse insatisfecho con sus propios esfuerzos para moverse y observar el mundo.

Este "vagón andador" es bueno para el niño porque él puede tirar de este y caminar siempre que lo desee.

Andadores y otros productos comerciales de supuesta ayuda al movimiento obstaculizan el desarrollo del mismo. Estos hacen que el niño se mueva tan rápido que a veces él desiste de sus propios intentos cuando no está en el andador. Además, transmiten una desinformación de donde termina su "espacio", su cuerpo y como las piernas realmente funcionan, confundiendo mensajes que tendrán que ser reaprendidos más adelante.

Lo siguiente es una cita publicada en un Periódico de San Francisco:

ANDADORES PARA BEBÉS
PROHIBIDOS EN GUARDERÍAS

La Academia Americana de Pediatría concluyó que los andadores son peligrosos y no deberían ser vendidos o distribuidos en los Estados Unidos. . . En 1991, 27.800 niños menores de dos años fueron internados en los hospitales, en urgencias, por lesiones relacionadas con andadores. Esta advertencia fue reafirmada en 2001.

Un espejo y una barra sobre el colchón donde el niño juega en casa proporciona la práctica para levantarse.

La cosa más importante que le podemos proporcionar a un niño es una barra baja fijada a la pared, a la altura del niño, o un mueble estable y firme donde el niño pueda apoyarse para levantarse y caminar apoyado lateralmente. Un cochecito pesado con una manilla vertical resistente es el mejor "andador" para que el niño practique cuando quiera. Es muy gratificante ver la seguridad, el equilibrio y la destreza física de un niño a quien le fue permitido desarrollarse de una forma natural, según sus propios esfuerzos.

Si se le da la oportunidad, un niño va a encontrar muchos lugares, dentro y fuera de casa, para levantarse y practicar por los alrededores o caminar mientras se sostiene.

Un taburete o una mesa estable pequeña, o un sofá en la sala, son excelentes para ayudar al niño a circular o practicar caminando mientras se apoya en alguna cosa. Un vagón, que es un pequeño cochecito con una manilla fija, va a proporcionar la oportunidad para que él se levante y camine de acuerdo con su voluntad, pero esto probablemente va a necesitar la ayuda de un adulto, al principio, para maniobrar, cuando el niño llegue a una pared, por ejemplo. Al principio coloque algún peso en el cochecito, para que no se vaya hacia delante mientras el niño está aprendiendo a levantarse y se apoya en la manilla. Y vaya reduciendo el peso, dependiendo donde el niño está usándolo: en un piso de madera, en un tapiz, o en el césped, hasta que el cochecito quede vacío (nosotros usamos bolsas de arroz o algunos objetos pesados, envueltos en una toalla).

Aprender a caminar por sí solo no es una competición, ni para el niño, ni para los padres. Caminar temprano o tarde no significa más o menos inteligencia.

Empujar y tirar juguetes es una gran diversión para el niño que está aprendiendo a caminar. Él no se apresura con estas actividades que le ayudan a practicar independientemente en el momento adecuado, mientras su guía interior se lo dictamine.

Cuando al niño se le ha dado todo el apoyo y oportunidades para el movimiento libre como se sugiere en este libro, y ha tenido sus propios esfuerzos y su propio horario respetado, caminar ocurrirá alegremente, en el momento adecuado, para cada niño.

# EL FINAL DEL PRIMER AÑO: DESARROLLO ÚNICO Y AUTOESTIMA DEL NIÑO

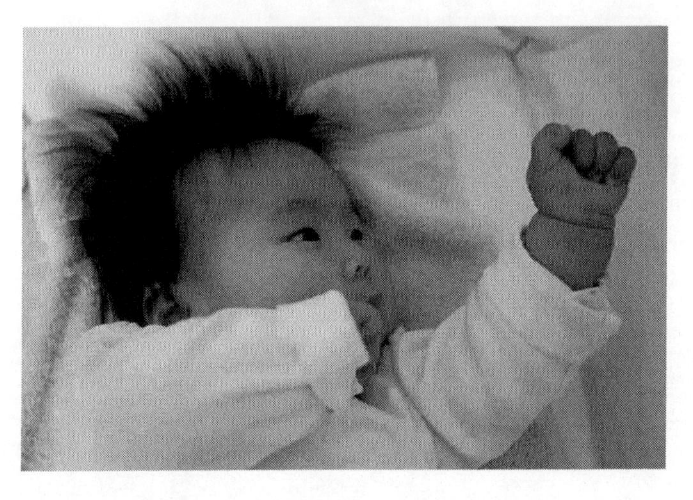

"Por favor, deja mis manos al descubierto, para que yo pueda mirar y trabajar con ellas."

Cada niño tiene su propio plan de desarrollo. El movimiento libre significa ser capaz de mover su propio cuerpo sin ayudas artificiales de movimiento - como por ejemplo andadores, o asientos inflables y columpios - para poder moverse según las habilidades de desarrollo, aprendiendo gradualmente a alcanzar y agarrar, voltearse, gatear, sentarse, estirarse para estar de pie y caminar, - todo por sí mismo.

Con la misma edad, un niño estará trabajando la coordinación ojo-mano y otro estará concentrado en producir sonidos, otro en hacer flexiones o intentando mover todo su cuerpo en el ambiente que le rodea. Un niño se interesará sentar en una silla y comer en algún momento de su primer año, mientras otro estará satisfecho amamantando. A un niño le gustará sentarse en un orinal para orinar, mientras otro no va a estar interesado. Lo mejor que podemos hacer es apoyar el movimiento libre, ofrecer el mejor modelo de lenguaje y entonces observar, escuchar, respetar, ofrecer y quitarnos del camino.

Definitivamente, existe una relación entre nuestra reacción al intento de comunicación de un niño y sus intentos de movimiento y el desarrollo de una buena autoimagen y respeto por uno mismo. ¿Cuántos de nosotros seríamos mejores en "amarnos exactamente de la manera que somos" si nuestros propios intentos de autoconstrucción hubiesen sido respetados cuando éramos niños?

*Los dos primeros años de vida son los más importantes. La observación prueba que los niños pequeños están dotados de poderes psíquicos especiales, y muestra nuevas formas de guiarlos, es decir - "educar en la cooperación con la naturaleza". Aquí empieza el nuevo camino, en el que no va a ser el profesor quien enseña al niño, pero el niño quien enseña al profesor.*

– María Montessori

### *Ayudando al comienzo de una buena autoimagen*

Durante mi entrenamiento para Asistentes de la Infancia, pase algún tiempo observando a bebés con problemas graves, en una guardería en un hospital. El equipo era especialmente capacitado y amoroso, pero dos incidentes me llamaron la atención, al aprender sobre el desarrollo del auto respeto y de la autoimagen del niño. El primer incidente fue cuando una enfermera estaba preparándose para cambiar el pañal a un bebé de pocos meses. Ella estaba sujetándolo y hablando amorosamente con él, y el bebé estaba sonriendo. La enfermera lo colocó en una superficie suave y él estaba muy relajado y feliz. Después que ella le quito el panal, hizo mala cara y dijo, "¡Por Dios, que has hecho y que olor más horrible!" la expresión del rostro del niño fue de choque, confusión y tristeza.

Creo que esto es una situación habitual al cambiarle el pañal a un bebé, pero hasta entonces yo no me había dado cuenta que desde la perspectiva de un niño no había forma de saber que la enfermera reaccionaba a las heces. Desde la perspectiva del niño, ella hablaba de él. La reacción de ella afectó su autoimagen y no fue positiva.

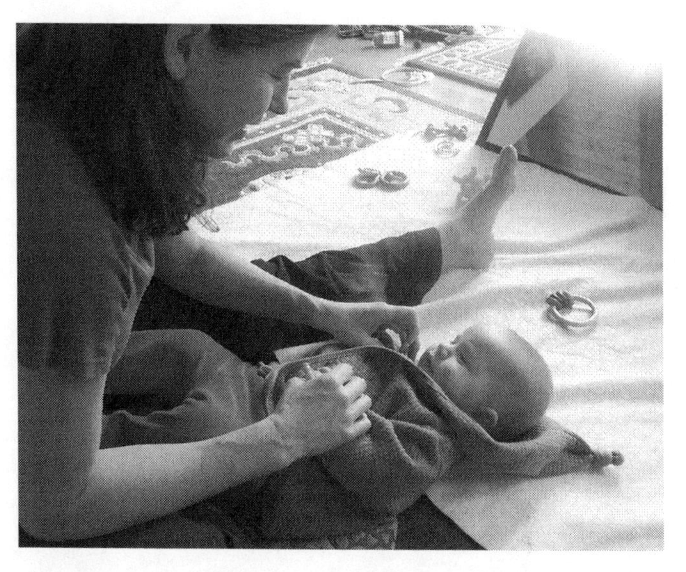

La otra experiencia fue una observación de tres médicos, frente a un bebé que estaba en la cuna discutiendo su caso. Parecía haber tres opiniones y estaban discutiendo los detalles con calma, mirando al bebé de vez en cuando. Entonces una enfermera se aproximó y les recordó que deberían incluir al bebé en sus deliberaciones, y no hablar de él en su presencia sin incluirlo en la conversación.

Estaba claro por la reacción de los médicos, que esta era una práctica común. Ellos no reaccionaron con enojo, pero sí avergonzados e inmediatamente miraron al bebé y hablaron con él, a pesar de tener pocos meses, como si fuese un igual y se le debiese respeto participando en la conversación. Yo nunca he olvidado esto y eso me ha servido, durante estos años, a ayudar en el desarrollo del autoestima del niño, al incluir siempre, aunque sea el más pequeño en una conversación.

Prestar atención en los intentos de comunicación, y proporcionar el libre movimiento en un espacio seguro y limitado - en la habitación del niño o en la sala, adaptada para él, ayudará al niño a desarrollar confianza en sí mismo.

***Preparando el hogar para recibir al recién nacido***

Durante el proceso de preparación de la habitación del bebé antes de su nacimiento, acuéstese en el piso en el centro de la habitación y mire a su alrededor, mire hacia arriba y escuche. ¿Va a ser seguro? ¿Interesante? ¿Bonito? ¿Tranquilo? ¿Va a permitir el máximo posible de libertad de movimiento? Debido a la gran necesidad de sentido del orden del bebé, lo ideal es que la habitación permanezca de la misma manera durante el primer año. Por eso es tan importante pensar y dedicarse en cómo organizar este primer ambiente.

Una alfombra en el piso, en una habitación segura para el niño, le permite ir y venir, ejercitando todas sus habilidades de desarrollo.

Un día, mientras observaba las alegres y exuberantes acciones de un nuevo gatito en nuestra casa, fue inevitable comparar esto con la curiosidad y necesidades de un niño pequeño. El gatito se probó a si mismo los retos de moverse en la sala, de todos los modos posibles, examinando cada objeto y la mejor manera de moverse sobre, abajo y alrededor de él.

Recordé prestar atención a los bebés cuando se les permite moverse libremente, en un ambiente preparado. Imagine como el desarrollo natural de los gatitos sería modificado si ellos fueran confinados a cunas con protectores, columpios para gatitos, andadores y chupetes. Continuamente pienso en cómo podemos ayudar a los bebés a explorar con sus cuerpos y desarrollar la delicadeza y confianza en el movimiento. El recién nacido tiene diversos e importantes trabajos de desarrollo por hacer, y podemos ayudar en este trabajo ofreciendo un ambiente de apoyo lo más natural posible.

El niño ha estado ejercitando los músculos y escuchando sonidos desde el útero. Después del nacimiento él va a empezar a hacer ejercicios con todo el cuerpo, desde el primer día, y gradualmente va a aprender a moverse por sí mismo y a explorar, con todas las habilidades sensoriales y del movimiento, de acuerdo con su voluntad.

Envolver al bebé debería evitarse, al menos de que haya una razón física o psicológica. Si nos pusiéramos en el lugar de un bebé, entusiasmado por moverse más allá de los límites del útero, podemos comenzar a imaginar cómo es de limitante, aburrido y frustrante estar envuelto sin poder moverse.

El niño, durante los primeros meses, va a estudiar cuidadosamente el hogar, cada habitación, visualmente en detalle y a escuchar cada voz y sonido. Después de fortalecer brazos y piernas con flexiones que hacen los bebés, él se dirigirá a los objetos para explorar aún más.

Cada niño sigue su propio y único tiempo para aprender a gatear y alcanzar objetos que ha estado observando hasta ese momento, y que finalmente llega a tocar. Esta exploración visual, seguida de la exploración táctil, es muy importante para muchos aspectos del desarrollo humano. Si proporcionáramos una cama o colchón en el piso, en una habitación completamente segura, en vez de una cuna o un corralito, el bebé va a tener una visión clara de los alrededores y la libertad para explorar, cuando sea capaz. Además de ser una ayuda para el desarrollo, este arreglo ayuda a prevenir el común problema del llanto, por aburrimiento o cansancio.

Ayuda a pensar en esto, si imaginamos la habitación como un corralito con una puerta para bebé en la entrada y examinar hasta el último rincón para ver si es seguro. Si el recién nacido va a compartir una habitación con los padres o los hermanos, aun así, podemos proveer un amplio, seguro e interesante ambiente. Eventualmente él va a explorar toda la habitación que tiene una salida en la puerta, y gradualmente se moverá en el resto de la casa (que ya ha sido examinada para ser interesante y segura para el bebé). Esas son las etapas iniciales de independencia, concentración, movimiento, autoestima, toma de decisiones, desarrollo equilibrado y sano del cuerpo, la mente y el espíritu.

*Prendas que ayudan al libre movimiento*

Si el clima lo permite, es muy importante dejar las manos y los pies al descubierto para que el niño pueda ejercitar los dedos de las manos y de los pies. Es muy natural que las manos y los pies del bebé estén un poco más fríos que el resto del cuerpo. ¡La temperatura del cuerpo es muy importante, pero también lo es el movimiento corporal! Cuando el niño empieza a reptar (lo que puede suceder mucho antes de lo que podríamos esperar, cuando el ambiente lo permite) debemos dejar que las rodillas del niño también creen fricción con el suelo. Recuerdo bien el día en que le coloqué por primera vez un vestido a mi primera hija y la puse en el piso. ¡Ella estaba aprendiendo a gatear y el botón del vestido que estaba justo en sus rodillas le impedía gatear! Estaba claramente frustrada e infeliz con esta limitación y nos lo dejo saber a gritos. Ella parecía saber que debía gatear y algo le impedía hacer su importante trabajo. Bueno, ese fue el último vestido durante un tiempo, pues era mucho más importante que gateara, en vez de dejar que todos supieran que era una niña porque llevaba vestido en lugar de pantalones más cómodos.

***Apego y separación, preparación para el destete y aprendizaje para el uso del baño.***

Cuanto más fuerte sea el apego entre el bebé y sus padres al inicio de la vida, más exitosas serán las etapas de separación más adelante. La lactancia materna es un ejemplo de un fuerte apego. La relación entre la madre y el niño en los períodos en que el bebé se está amamantando es extremamente importante, pues se convierte en un patrón para relaciones futuras.

Piense en el ejemplo de hacer el amor. ¿Cómo se sentiría usted si su esposo o esposa estuviese enviando un mensaje a un amigo, hablando por teléfono, leyendo o viendo la TV mientras se hace el amor? Amamantar o sostener al bebé mientras se da el biberón si es necesario, le está enseñando de lo que se trata una relación íntima entre dos personas.

Piense en el mensaje de amor que la madre da a su hijo cuando ella le da completa atención, lo mira a los ojos, sonríe y canta. El mensaje es muy diferente si el niño es alimentado mientras el adulto vuelca su atención en cualquier otra cosa. Este período inicial de crear una relación sana pasará pronto y vale la pena toda la atención que le podamos brindarle.

Al considerar los aspectos psicológicos de la lactancia, también debemos considerar los posibles efectos de amamantar a un niño en respuesta a cada sentimiento negativo - cansancio, dolor o frustración. Deberíamos ofrecer consuelo amoroso en esas situaciones, pero ofrezca comida a un niño solo cuando tenga hambre. Esto ayuda al niño a mantenerse en contacto con sus propias necesidades alimenticias naturales y saludables, creciendo hasta convertirse en un adulto que come para nutrirse y no por necesidades emocionales.

Aprender a ir al baño también puede ser preparado desde el principio. Dado que el bebé está explorando su mundo visualmente, es bueno tener el orinal en el ambiente donde él va a usarlo, e incluso sentarlo completamente vestido solo por un minuto o dos, para que pueda acostumbrarse a como se sentirá más tarde, cuando realmente lo use. También debe ver a otras personas usar el baño, tal como los ve hablar, caminar, comer, reir, etc., rutinariamente. Y finalmente, para poder desarrollar una actitud sana hacia lo que normalmente llamamos partes íntimas del cuerpo, esta área debería ser tocada (cuidadosa y sensiblemente) exactamente de la misma manera como todas las demás partes del cuerpo son tocadas durante el baño.

Niños que usan calzones entrenadores en la comunidad infantil, generalmente aprenden a usar el orinal al mismo tiempo que aprenden a levantarse y caminar. El Asistente a la Infancia que trabaja en una comunidad infantil mantiene un registro cuidadoso de cuanto el bebé orina y luego simplemente ofrece el orinal en estos horarios predecibles, sin ningún tipo de coerción. Los padres pueden hacer lo mismo. A los niños les gusta aprender a sentarse en el banco de madera al lado del orinal, para quitarse el calzoncillo y usar luego el orinal, así como adoran aprender a imitar todas las otras actividades que ocurren a su alrededor.

El primer año de vida se caracteriza por un enorme crecimiento en independencia. Primero, el bebé deja la seguridad del útero, porque es hora de poder moverse y crecer como un organismo separado. Luego, aprende a gatear y después a levantarse, pararse y caminar. Él absorbe una cantidad enorme de lenguaje que va a ser usado más tarde, y está siempre trabajando en emitir sonidos con su boca y las cuerdas vocales. El destete y aprender a usar el baño pueden ser transiciones naturales y agradables, cuando el proceso es preparado desde que el niño es muy pequeño.

Mostrando como tocar suavemente una cuerda de guitarra, una a la vez.

Se necesita una observación cuidadosa y sabiduría de parte de los padres para ver cuando el niño está conquistando cada nuevo paso en independencia, destete y aprendizaje del uso del baño. El apoyo y estímulo del adulto, es la ayuda más efectiva para este crecimiento vital en seguridad e independencia. Debemos estar allí para el infante cuando realmente seamos necesarios, pero debemos aprender a dar un paso atrás cuando no nos necesitan.

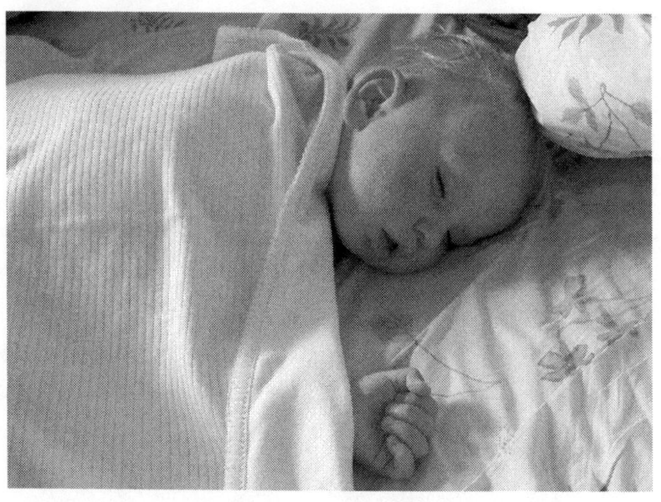

"Por favor, trata de no despertarme cuando estoy durmiendo. Estoy haciendo algo muy importante."

*Lenguaje de Señas Infantil y Comunicación de Eliminación Fisiológica* **(EC por sus siglas en inglés)**

Estos son dos movimientos que se están extendiendo en popularidad en Occidente. Mientras que el lenguaje de señas se base en signos reales y esté acompañado de lenguaje hablado, creemos que este tiene mucho que ofrecer. Por ejemplo, hasta un niño muy pequeño puede aprender el signo hecho con la mano para "alimentar" y dejar que su madre sepa que le gustaría ser amamantado. Esto ayuda a evitar el llanto cuando tenga hambre y que podría ser confundido por otro motivo. Al viajar por toda Asia, he visto que los padres que viven de una manera más tradicional y menos frenética que el estilo moderno, están a menudo muy conscientes de la necesidad de un niño de orinar y defecar. Está claro que los humanos tienen el potencial de ser conscientes de esas funciones del cuerpo mucho antes de lo que muchos de nosotros pensábamos que fuese posible. El Lenguaje de Señas Infantil y la de Comunicación de Eliminación Fisiológica (EC) son movimientos que valen la pena ser investigados mientras nos esforzamos por aprender más sobre cómo ayudar al potencial de los seres humanos en las primeras etapas de la vida.

***Materiales que apoyan el crecimiento y desarrollo óptimos en el primer año***

Los seres humanos son "los materiales" más importantes en el ambiente. No importa que tan bien se acomode el ambiente, el niño va a hacer lo que nosotros hacemos, no lo que decimos.

Aprendiendo sobre la vida real de primera mano, en la espalda de su abuelo mientras pule las lámparas de mantequilla en Bután

"Materiales" no humanos para el primer año incluyen el *topponcino* para cargar al recién nacido, móviles, prendas, el tipo correcto de chupete, el orinal de adiestramiento, y la cama en el piso. Juguetes apropiados también ayudan en el desarrollo. Por ejemplo, cuando un niño está empezando a gatear y necesita un incentivo para avanzar, puede ser ayudado con un juguete rodante o si hay una pelota que se mueva a corta distancia al ser empujada.

"¡Déjame ver si yo consigo armar por lo menos una parte del rompecabezas de mi hermano!"

Una pequeña mesa y una silla en el ambiente en este primer año va a proporcionar un espacio familiar para el niño que quiera intentar alimentarse por sí solo, con un tazón y una cuchara, y esos primeros intentos ocurren antes de lo que habíamos pensado. Si es parte de la cultura, también es interesante tener un florero pequeño con flores en la mesa para estas primeras comidas especiales, y también un mantel individual con el contorno bordado donde apoyar el plato o tazón, taza o vaso, cuchara o tenedor, que eventualmente el niño va a ser capaz de usar para preparar su propia mesa.

A los niños les encanta quitarse sus propios calzones entrenadores de algodón, mientras se sientan en un banco de madera al lado del orinal de adiestramiento. Ellos pueden empezar a hacer eso tan pronto aprenden a caminar.

De la misma manera, se puede poner un taburete o una silla pequeña cerca de la puerta de entrada para que el niño se siente y se quite sus botas y sus zapatos. No debe haber ninguna presión, ninguna recompensa o castigo, ningún adulto decidiendo cuando el niño debería aprender a alimentarse por sí solo o a usar el orinal.

El ambiente está preparado y el niño es libre para explorar e imitar en estas etapas de desarrollo natural. Un niño pequeño desarrolla confianza en sí mismo, la base de la autoestima, mientras interactúa con el ambiente. Él aprende a moverse en el mundo, a tocar y a agarrar objetos a través de su propio esfuerzo, aquellos objetos que por tanto tiempo él intentaba alcanzar.

Con el apoyo amoroso de los adultos y de niños mayores, y en un ambiente que atienda sus diferentes necesidades, él aprenderá que es capaz, que sus elecciones son inteligentes, y que en verdad es una buena persona.

El niño quiere hacer lo que todos están haciendo, aunque solo sea un poquito.

*Amor incondicional*

La mayoría de nosotros sabe que es vital darle al niño "amor incondicional" (y es lo que todos queremos), pero al final ¿qué significa y cuándo empieza esto en la vida de cada uno? Hay un dicho: "Amor no es un sentimiento, pero sí una acción," que nos puede ayudar a entender las implicaciones en esta edad. Aunque amor es un término muy usado y confuso en la lengua inglesa voy a describir lo que significa en este contexto.

Amar significa aceptar al niño exactamente como es, sin intentar llevarlo a la siguiente etapa en el lenguaje o en las habilidades de movimiento. Significa que cuando el niño está trabajando en las primeras etapas de gatear nosotros no empujamos sus pies para que adelante "para ayudarlo". Significa que cuando él esté en la etapa de intentar levantarse, mientras se sostiene en un taburete pesado, moviéndose de un lado a otro, siguiendo su camino en la sala mientras se apoya en los muebles, nosotros no sujetamos su mano, caminamos con él sin que él se apoye en algo. Nosotros lo aceptamos y respetamos su horario interno, amándolo exactamente como es.

A través de los años de crecimiento del niño, los padres trabajarán para crear un equilibrio entre ayudar al niño a mejorar en algo (quizás trabajo escolar) y amarlo y aceptarlo exactamente como es. Es siempre importante ponerse en lugar del niño y pensar cómo se sentiría usted, cuanta motivación para hacer mejor las cosas usted le gustaría o no recibir, cuanto a usted le gustaría ser aceptado de la manera como es, sin necesidad de cambios o mejorías. Todo esto empieza ahora, en los primeros meses de vida.

### *El final del primer año*

*Una vez que se establece esta base, el aprendizaje futuro será más fácil para el niño. Estos niños tienen una autoimagen positiva y confían que el mundo es un lugar maravilloso para estar. Ellos confían en sí mismos y en sus habilidades de actuar en este mundo.*

—Judi Orion, Profesora para Asistentes Montessori a la Infancia y Entrenadora para futuros guías.

# PARTE DOS, EDAD 1-3

## EDAD 1-3: AUTOCUIDADO, CUIDADO POR OTROS, Y POR EL AMBIENTE

La cocción del pan es una actividad diaria para niños de 2 años en la comunidad infantil en Suecia y en muchos otros lugares. El maestro mide y pone los ingredientes antes de que los niños lleguen, pero son los niños quienes hacen la mezcla midiendo, amasando, y horneando.

*Todas las actividades conectadas al autocuidado y al cuidado del ambiente como aprender a vestirse, preparar alimentos, poner la mesa, limpiar el piso, los platos, desempolvar, etc, son actividades que pertenecen a lo que la Dra. Montessori llamó "Vida Práctica", y es precisamente las tareas que el adulto*

*menos les gusta. Entre los uno y los cuatro años los niños aman estos trabajos y les fascina cuando se les llama para participar en ellas.*
—Silvana Montanaro

### *Participando en la vida real de la familia*

Los seres humanos de todas las edades quieren ser capaces de comunicarse con los otros, de ponerse retos, de hacer trabajo importante, y de contribuir a la sociedad. Esta es la naturaleza humana y es la mejor. Este deseo es especialmente fuerte durante el tiempo en el que el niño, quien ha estado observando los tipos de actividades importantes que suceden a su alrededor, logra conquistar las habilidades mentales y físicas para pararse, caminar, usar sus manos, y participar en el mundo real.

Un niño aprende el autocontrol y desarrolla una autoimagen saludable si el trabajo es real, lavar las frutas y los vegetales, poner y limpiar la mesa, lavar platos, regar las plantas, regar el jardín, separar elementos, doblar, y ubicar la ropa sucia, trapear, limpiar el polvo, ayudar en el jardín o cualquier otra actividad de su familia. Este trabajo real familiar, conocido como vida práctica en los colegios Montessori, parece ser el patrón más efectivo para el desarrollo de la concentración y la felicidad. Permitirle al niño participar en la vida que ve moviéndose a su alrededor. Es un acto de gran respeto para él, y de confianza hacia el niño. Ayuda a que el niño se sienta importante para el mismo y para los demás. El se siente necesitado.

Podríamos sentir empatía si pensamos en la diferencia entre nuestros sentimientos por un invitado a cenar a nuestra casa, quien espera a que se le sirva, o aquellos que son bienvenidos a hablar y reir en la cocina mientras preparamos la comida todos juntos. En el primer caso, el invitado está separado de usted y la relación es formal. En el segundo caso estamos compartiendo la vida, y la relación es más íntima, una verdadera amistad.

Rebanando el huevo para el almuerzo

Durante la historia le hemos permitido al niño que "pretenda" cocinar o limpiar juguetes, muñecas para vestir y cuidar. ¿Por qué? Yo creo que fue porque los padres siempre han visto que los niños quieren hacer el tipo de cosas que ven hacer a los adultos, y tal vez simplemente los adultos no pensaron que los elementos reales eran seguros para el niño. Proporcionar materiales reales, funcionales y de tamaño del infante, fue una de las mayores contribuciones de la Dra. Montessori. Entonces el niño no tiene porque fingir, ya que puede realizar el trabajo real. Un niño siempre va a preferir sacudir el polvo de verdad de un estante real con un plumero de su tamaño, o ayudar a recoger la ropa sucia, o doblarla cuando está limpia, o participar en la preparación de comidas reales, en lugar de pretender hacer lo mismo con juguetes.

*Tipos de actividades de Vida Pràctica*

Las principales áreas de las actividades de vida práctica son:

**El autocuidado:** Vestirse, lavarse los dientes, cocinar, limpiar los zapatos, etc.

**Gracia y cortesía y la preocupación por otros:** Ofrecer alimentos, decir "por favor" y "gracias", y otras buenas maneras apropiadas a la cultura del niño, modelada por los adultos para niños de corta edad.

**Cuidado del ambiente:** Limpiar el polvo, trapear, lavar, jardinería, palear la nieve, rastrillar hojas, etc.

**Movimiento:** El desarrollo básico del movimiento a través de cortas lecciones, demostraciones de, cargar herramientas y asientos, caminar con balance sobre una tabla, trepar, correr, etc.

**Alimento:** Unir la preparación y servicio del alimento, es una combinación de los puntos anteriores, autocuidado y el cuidado del otro, gracia y cortesía, cuidado del ambiente, y el movimiento.

***El ambiente de trabajo y la concentraciòn***

*......pero yo sé que la felicidad no viene de lo material. Puede venir del trabajo y el orgullo de lo que hacemos.*

—Ghandi

*Una de las mayores adquisiciones de los primeros tres años es la independencia. Los niños durante estos primeros años dominan ciertas habilidades dándose las bases para alcanzar la independencia funcional. Aprenden a alimentarse, desvestirse, vestirse y bañarse a si mismo. Con la adquisición de las habilidades motoras y luego el refinamiento de esas habilidades, los niños dominan las habilidades básicamente para el cuidado de sus propios cuerpos. Esta adquisición de independencia funcional les da dignidad humana, la habilidad de tomar su lugar en la humanidad sabiendo que son capaces, teniendo sus propias habilidades como todos los demàs.*

—Judi Orion

Una de las experiencias más relajantes para un niño es la concentración. Esto no incluye una concentraciòn pasiva no participativa como mirar televisiòn o vídeos. La acciòn debe ser algo controlado por el niño para que pueda repetirla tantas veces como sea necesario, y debe desafiar tanto su cuerpo como su mente. La elecciòn de actividades no es tan importante como el nivel de concentraciòn que esta traiga. La concentraciòn profunda puede ocurrir mientra cava en la arena, lavando zanahorias, ensartando cuentas, dibujando con lápices de colores, haciendo un rompecabezas o puliendo un espejo. Nunca sabremos cuando comenzará, pero reconocerlo es necesario si queremos proteger ese momento.

La Asistentes a la Infancia da lecciones que han sido muy bien pensadas, lògicas y claras; ella crea un ambiente que fomenta el trabajo, y siempre està pendiente de que un niño comience a concentrarse. Cuando esto sucede, ella protege al niño de interrupciones porque entiende que esta experiencia va a causar al niño la creación de balance y felicidad en él.

Lavándo un asiento

La disponibilidad de una mesita especial que se mantenga limpia y lista para el trabajo, puede ayudar al niño en concentrarse en su trabajo y centrarse en él hasta que lo termine. Es una consecuencia natural que si el trabajo no se guarda apenas termine, el espacio no estará disponible para la próxima actividad. Un delantal, utilizado para la cocina, limpieza, trabajo con madera, jardinería, etc; a veces ayuda al niño a concentrarse a marcar el comienzo y el final de su tarea. Ello también eleva la importancia del trabajo en los ojos del niño. Cuando el trabajo de un niño se considera importante para la familia, también lo es el niño. El delantal debe ser hecho de tal manera que el mismo niño, se lo pueda poner y quitar; para poder trabajar cada vez que así lo desee. Un gancho en la pared debe estar siempre allí para que lo cuelgue y descuelgue.

Coser

### *Materiales*

Desde que sea posible y de una forma segura, se le da al niño material rompible que sea bello, compartiendo con èl de una forma respetuosa todo lo que el resto de la familia usa - cerámica, vidrio, metal, herramientas reales. Existe un aumento en la autoestima de niño cuando éste siente que se le permite usar nuestros utensilios, lo contrario a que se le den sustitutos de plástico. Hay además un respeto del niño hacia el cuidado de los materiales cuando son bellos y quebrables.

Educadores, niños mayores y padres, podrían trabajar juntos en la creación de algunos de estos materiales, como cortar y hacer dobladillos a delantales y trapos para limpiar el polvo. En los días pasados, cuando era maestra, y los días eran más lentos, los delantales, las servilletas de tela, trapos para brillar, todos eran decorados con bordados. En el entrenamientos de Asistentes a la Infancia Montessori, los estudiantes continúan haciéndolo- añadiendo pequeños decorados que hacen para los bebés y niños pequeños. Aparte de los recuerdos agradables como estos, aún conservo una cantidad de servilletas de tela y mi equipo de costura cerca a nuestro horno a leña, para hacer dobladillos cuándo tengo tiempo en los días acogedores y oscuros del invierno.

A menudo en el hogar necesitamos pensar cuidadosamente sobre como disponer de los suministros de vida práctica de los niños. Si el padre es carpintero o jardinero, algunas herramientas de buena calidad pero de tamaño infantil, pueden ser ubicados en un lugar especial cerca de las herramientas de los padres y que sea de fácil alcance para el niño. Se le puede mostrar como usarlos en compañía de los padres, y como limpiarlos y ubicarlos en su sitio cuando la actividad termine. Se puede hacer lo mismo con herramientas de limpieza, preparando alimentos, cocinar, poner la mesa, cualquier actividad. Podemos adaptar las herramientas, hacer o comprar las adecuadas: un pequeño delantal, baldes metálicos pequeños, regaderas, utencilios de cocina, etc. Para un niño, tan solo unos pocos minutos al día trabajando con los padres en actividades importantes para "adultos" puede ser de gran beneficio para comenzar un nuevo sendero de comunicación y convivencia juntos.

Aprender a cerrar un abrigo

***Desvestirse y vestirse***

Desvestirse es más fácil que vestirse y se aprende primero - en ocasiones motivo de consternación para los padres. También aprender a sacar la ropa del cajón, o sacar la prenda del gancho para aprender que va primero! La repetición es muy importante para el aprendiz, entonces después de que las medias han sido puestas correctamente, se las quitaran y se las volverán a poner muchas veces. Esto puede ser frustrante para el adulto pero este periodo pronto pasará y el niño, después de observar estas acciones de otros miembros de la familia, aprenderá a guardar la ropa, a colgar la pijama y chaqueta en perchas o ganchos bajos. Prendas que son fáciles de poner y de quitar le permiten al niño practicar estas habilidades. Estos son puntos importantes a considerar cuando compremos prendas de vestir desde zapatos, pijamas, hasta chaquetas para niños pequeños.

Sacudiendo el polvo en comunidad infantil

Los esfuerzos de un niño escogiendo su ropa y vistiéndose, se satisfacen si los padres la cuelgan al alcance del ellos solo dos atuendos para que el niño pueda elegir cómo quiere vestirse en la mañana. Esto es suficiente para tomar una decisión al comienzo. Eventualmente, éste será capaz de escoger todo de los cajones, estantes y ganchos.

### *Un lugar para cada cosa, y cada cosa en su lugar*

Idealmente, cuando un juguete o una herramienta es traída a casa, la familia debe decidir exactamente dónde se va a guardar. Cualquier artista, cocinero, mecánico de autos, conoce el valor de poder encontrar sus herramientas listas para su usor exactamente cuando las necesita. Los niños son iguales, y su sentido del orden es más intenso que el nuestro en estas edades porque ellos están construyéndose a sí mismos y entendiendo cómo funciona el mundo a través del trabajo.

En nuestro hogar por muchos años tuvimos que mostrarle a nuestros invitados adultos donde se colocan los platos porque los guardamos en los estantes más bajos, al alcance de los niños. Por supuesto, elementos de limpieza que pudieran ser peligrosos no estaban a su alcance, pero lo demás en casa, estaba organizado al alcance de los niños y sus amigos.

### *El propósito del niño*

Las razones para que un niño actúe de una forma y los métodos que utiliza son diferentes a los nuestros. Nosotros los adultos usualmente lo hacemos para lograr una tarea de una manera rápida y eficiente. Un niño, por otro lado, está trabajando para dominar la actividad, practicar y perfeccionar sus habilidades. Puede fregar una mesa por horas, pero solo si siente la necesidad dentro de sí mismo. Puede barrer el piso cada mañana por dos semanas y no hacerlo de nuevo durante un mes - porque se ocupa de dominar algo màs. Si nosotros esperamos que él siguiera realizando cada nueva actividad todos los días, no habrá tiempo para dormir. Su propósito no es una casa limpia, sino la construcción de sí mismo, el desarrollo de sus habilidades, su ser.

Lavandería manual con tendedero creado entre dos asientos e inventado por el mismo niño.

Hay muchos valores físicos, emocionales y mentales en el trabajo. A travès de estas actividades el niño aprende a ser independiente. No pueden existir elecciones inteligentes ni responsabilidad a cualquier edad sin esta independencia de pensamiento y acción. Él aprende a concentrarse, a controlar los mùsculos, a enfocarse, a analizar los pasos lògicos, y completar un ciclo de actividad.

Precisamente por el valioso trabajo de vida práctica que los niños realizan en sus hogares y en los colegios Montessori, quienes son capaces de concentrarse, tomar decisiones inteligentes, y manejar exitosamente el comienzo de otras áreas de estudio como son matemáticas, lenguaje, artes y ciencias. Pero el propòsito de este trabajo es la satisfacciòn interna, y el soporte para el desarrollo óptimo del niño. Siguiendo este exitoso y completo ciclo de trabajo en familia, el niño será un ser calmado y satisfecho, porque tendrá paz interna y estarà lleno de amor por el ambiente y por los demás.

Aprendiendo a abrir y a cerrar envases por sí mismo, es una actividad agradable.

*Las necesidades de los padres*

Por favor no piensen que se espera que alguien use las ideas expresadas en este libro - o incluso una de ellas-

todo el tiempo. Todos somos humanos y hay muchas demandas hoy en dìa en todos los padres. Pocos de nosotros contamos con familiares viviendo cerca o con un grupo de amigos donde pueden dejarlo todo y apoyar con la crianza de los hijos. Un padre no siempre tiene el tiempo para incluir al niño en todo y no se debe sentir mal por ello. No debemos ser tan críticos con nosotros mismos, solo recordarnos constantemente que estamos haciendo lo mejor que podemos en el hogar y que ayudaría mucho planificar un momento en el que realmente disfrutemos trabajando juntos. Uno de los valores de este libro es que las ideas Montessori puedan ser compartidas con los vecinos, familia, y amigos y formar una red de apoyo para usar estas ideas.

El éxito vendrá lentamente en un comienzo, mientras aprendemos a "seguir al niño". Ayuda mucho, sólo empezar con una sola actividad, tal vez poner las servilletas en la mesa para una comida, y gradualmente añadir al repertorio de tareas en las cuáles el niño pueda participar, hasta que logre hacerlo poco a poco por si mismo. Con la práctica aprenderemos del niño como llegar con todo nuestro ser a nivel mental, físico y espiritual, hacia la tarea del momento, y a enfocarnos en cada acto que hacemos, y disfrutar cada momento de nuestras vidas. Es así como el niño se convierte en el maestro del adulto. Las necesidades del adulto se satisfacen al mismo tiempo que las del niño.

Aquí está un dicho que escuché hace algunos años de otra abuela, "Si hubiese sabido que ser un abuelo era mucho más fácil que ser un padre, yo lo hubiese hecho primero!"

*El niño sólo puede desarrollarse a través de la experiencia con su ambiente. Nosotros llamamos esta experiencia "trabajo.*

—María Montessori

### *Adultos y niños trabajando juntos*

El trabajo de vida práctica ofrece oportunidades valiosas para que los adultos y los niños puedan pasar tiempo juntos. Nosotros los padres a menudo deseamos tener más excusas para estar con nuestros hijos, y utilizar nuestras manos para honrar un tiempo calmado del trabajo de un artista o una ama de casa. Cada uno de nosotros posee un talento que puede compartirlo que le gustaría desarrollar- cocinar, jardinería, coser, trabajo la madera, hacer música, etc. Así sea media hora a la semana de compartir con el niño sería un gran comienzo. Esta colaboración será de gran beneficio para nosotros, para nuestros hijos, y para desarrollar nuestras relaciones entre nosotros.

La Asistentes a la Infancia Montessori es entrenada en observar a los niños para saber qué actividad ofrecer y cuándo. Durante el año de capacitación para el curso de Asistentes a la Infancia desde el nacimiento hasta los tres años, además de las 20 semanas de conferencias, cada cual debe realizar 250 horas de observación. Esta es una experiencia muy especial que nos enseña muchísimo acerca de los niños. Los padres usualmente tienen muchas otras responsabilidades para este tipo de observaciones en casa. Pero cuando se dan cuenta de la importancia de observar, y lo incorporan en el cronograma ya sea poco tiempo cada día, los beneficios son maravillosos.

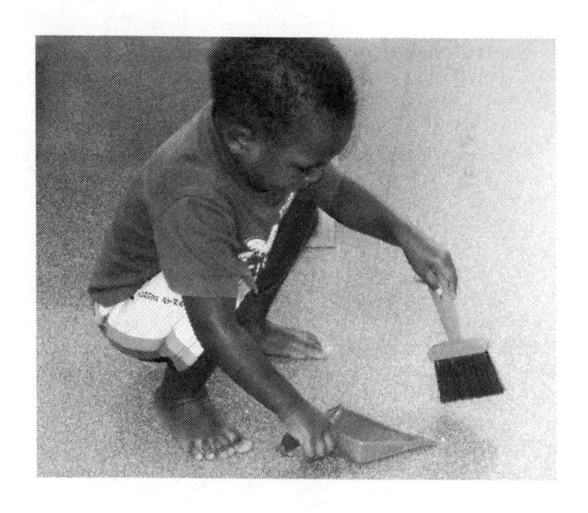

Es un gran placer tan solo sentarse y observar, sin tener que hacer nada más, y no hay nada que ayude más a un padre que a conocer a su hijo quien es único.

***La investigacion del niño sobre las normas de la sociedad***

El niño busca limites y normas que a veces son llamadas "evaluaciones", pero hay una connotación negativa a ésta palabra. Este comportamiento es positivo, cuándo la investigación sucede de parte del niño para aprender las normas y procedimientos familiares y sociales en los cuáles vive.

Aquí hay un ejemplo del significado de la palabra NO. Recuerdo un incidente en nuestro hogar entre un buen amigo y su hija de dos años de edad, Julia. La niña se había trepado en la banca del piano y pretendía alcanzar un busto de Mozart que estaba ubicado sobre el piano, el cual estuvo casi al alcance de sus manos. Cuándo movió un brazo para alcanzar la pieza, miró expectante a su madre, obviamente esperando algún tipo de respuesta. La madre dijo: "No, no lo toques". Julia paró, bajó el brazo, esperó unos pocos segundos, y luego intentó alcanzar a Mozart de nuevo. Su madre dijo "No"de nuevo, subiendo el tono de su voz. Nuevamente la niña trató de alcanzar la pieza y miró a su madre. Esto sucedió varias veces, si tener una solución.

Observé esta comunicación y la confusión de ambas partes y ofrecí una sugerencia: "Yo creo que ella no tiene claro lo que significa NO y está tratando de averiguarlo".

La madre sonrió y dijo "por supuesto". Luego la madre se acercó a Julia, le dijo "NO" suavemente, y mientras lo decía, la cargó y la llevó al otro lado del cuarto, donde había un juego de bloques de construcción. Ambas estuvieron completamente satisfechas.

En el primer intercambio quizás la niña pensó "NO" significa: "Estoy esperando y observando, en espera de que cojas la estatua. Y me estoy poniendo brava". En el segundo intercambio el mensaje fue claro. "No" significó deja de hacer lo que haces, y muévete a la otra parte del cuarto hacia otra actividad" (Y gracias a la manera clara y suave de hablarle entendió: "yo no estoy brava contigo".)

Los niños no entienden el lenguaje del razonamiento en esta edad, ellos necesitan demostraciones claras acompañadas de palabras. Es de gran ayuda para los padres ser conscientes de que el niño no está tratando de portarse mal, sino que él es un ser humano normal e inteligente tratando de entender cómo comportarse. El se encuentra en periodo de investigar cómo se hace.

***Enseñar enseñando, NO corrigiendo***

La herramienta más poderosa para los padres es compartiendo su estilo de vida y sus valores, es el ejemplo que ellos expongan, es el comportamiento que ellos modelan todo el tiempo. En cada momento de la vida del niño, especialmente los primeros tres años de vida, está aprendiendo y convirtiéndose más y más cómo las personas quienes encuentra en su entorno. El niño imita su forma de caminar, moverse y hablar, el vocabulario, como manejo de los objetos, las emociones, las modales, gustos, el respeto y la consideración (o ausencia de consideración) por el otro, etc. Lo más importante que podamos hacer primero, es rodearlo de las personas quienes nos gustaría que él imite.

**Estos son sus primeros maestros**

Lo segundo a tener en cuenta es evitar corregir cuándo cuando la acción y el comportamiento pudo haber sido enseñado de otra manera. Por ejemplo, si un niño está constantemente azotando la puerta muy duro, la mejor manera de enfocarlo es:

(1) Tenga en cuenta que el niño necesita que se le muestre cómo cerrar una puerta con cuidado y sin hacer ruido.

(2) Elija un momento neutral más adelante, (lo que significa que no haya una carga emocional cuando el adulto esté molesto porque la puerta fué azotada al cerrarla).

(3) Dé una lección divertida, elaborada e interesante, mostrándole al niño cómo cerrar la puerta, moviendo la perilla con sumo cuidado y cerrando la puerta muy despacio para que no se oiga ningún ruido. Ensaye con otras puertas, inténtelo una y otra vez, mientras que ambos lo estén disfrutando. Con este tipo de actividades el adulto está enseñando lecciones importantes, cómo lavarse los dientes, organizar los juguetes, y servirse la leche.

Pero si un niño alcanza para coger el mango de una olla caliente, o corre hacia la calle, lo corregimos, actuamos inmediatamente!

Practicando la forma correcta
de usar el cucharón para servir la sopa

Lecciones sobre modales, como decir "por favor" y "gracias", vienen de una cultura en la que el niño está inmerso". En nuestra familia y con los niños vecinos, soliamos practicar con un recipiente lleno de palomitas de maíz, ofreciendo y agradeciendo una y otra vez, hasta caer en carcajadas grupales al final de la lección, por la maneras graciosas y exageradas de agradecer. Cuando los padres y los niños comienzan a pasar más tiempo juntos mientras el niño crece, la necesidad de estas lecciones surgen con frecuencia y pueden ser disfrutadas tanto por adultos como por niños. Así la vida se vuelva más y más placentera.

Mamá, "Quieres ponerte las botas o lo hago yo?'

*Ofreciendo opciones*

Otra manera de mostrarle respeto a un niño, y al mismo tiempo enseñarle el comportamiento deseado, es ofreciéndole opciones. Un verano conversé sobre esta filosofía de dar opciones con mi sobrina de ocho años de edad. Al siguiente día, estábamos las dos sentadas conversando en el césped y me di cuenta cómo ella observaba atentamente a una madre y su pequeño hijo quienes sostenían una batalla verbal en la calle del frente, porque éste no se dejaba poner los zapatos. Finalmente mi sobrina dijo, "Mira esa madre tonta, está haciéndolo todo equivocadamente". Ella tendría que haber dicho, "Quieres ponerte los zapatos tú mismo, o quieres que te ayude a ponerte los zapatos?". Ella tenía la razón, un niño saludable de dos años está apenas aprendiendo a funcionar de manera independiente, en muchos niveles, físico y emocional y no está interesado en que le digan que hacer, pero si está muy interesado en que se le ofrezcan opciones.

Digamos que estamos en una situación donde cierta acción es necesaria - como un niño bajándose de una mesa a la cual se trepó. El enfoque menos efectivo es decirle "Bájate de allí!". El niño se sentirá avergonzado e intentará defenderse oponiéndose a hacerlo. Intente decirle, "Necesitas ayuda para bajarte de esa mesa, o lo puedes hacer tú solo?". El niño reconocerá respeto en la voz y en las palabras dichas, y se sentirá empoderado tomando una decision, a cambio de obedecer ciegamente (o no obedecer).

Aún en las actividades más usuales del dia a dia, darle opciones hace que el niño sienta que su opinión es respetada. "Te gustaría ponerte los guante rojos o los azules?", "Ya estás listo para ir a dormir o prefieres escuchar un cuento primero?", "Quieres tu salsa de manzana primero o tu pasta?" o, "Te gustarìa usar un tenedor o una cuchara?" (A cambio de cómete la comida"). No he conocido un comportamiento parental más seguro para crear una atmósfera pacífica en el hogar para un infante de dos años, que darle opciones.

*Para ayudar la vida, dejemos dejarla libre para que se desarrolle a sì misma, esta es la tarea bàsica del educador.*

—Maria Montessori

Ensartando dos tipos de macarroni italianos para hacer un collar para un regalo de cumpleaños.

*Seleccionando los juguetes*

Cuando estamos eligiendo un juguete para un niño, imagine primero qué hará el niño con este. ¿Invita el juguete a una actividad con propósito? ¿Lo invita al niño a tomar decisiones? ¿Imaginación? ¿Por cuánto tiempo atraerá al niño a usar el juguete? ¿Lo animará a explorar, a pensar, y a estar con el juguete? Hay muchos juguetes de madera o de tela maravillosos, imaginativos para niños, pero a menudo omitimos en la elección que el juguete tenga un propósito. Los juguetes son la base para enriquecer el trabajo de la imaginación.

La imaginación es una herramienta maravillosa de los humanos, pero no puede ser creada de la nada. La imaginación creativa está basada en, y directamente relacionada con, la cualidad de las experiencias sensoriales en el mundo real. Una imaginación enriquecida permite al individuo encontrar soluciones (resolver un rompecabezas, por ejemplo) y trabajar para lograrlas. Entre más experiencias tenga el niño con actividades reales con propósito y resolución de conflictos, su imaginación será más útil, creativa y efectiva.

El rompecabezas de armar un conjunto de las muñecas rusas o Matreshka es una de las actividades favoritas en esta comunidad infantil en Moscú y en este hogar tibetano.

Busque juguetes que representen un desafío, un propósito, un comienzo y un final, y en donde la complejidad de la actividad sea inherente al material. Por ejemplo, cuando el niño ha colocado todos los discos en la caja con discos, él ha completado un ciclo de actividad exitosamente, siente gran satisfacción, y está a menudo listo para repetir la actividad una y otra vez. La coordinación ojo mano es desarrollada cuando es obvio que un juguete tiene un propósito particular, por ejemplo, un cubo con su orificio cuadrado y una esfera con su orificio circular. No es fácil para un niño aprender a dirigir sus músculos para hacer lo que sus ojos ven y que debe hacerse. Y el desafío de tales actividades ayudan al niño a desarrollar la coordinación y la concentración. Todo esto debe ser considerado al seleccionar juguetes para el niño en esta etapa de desarrollo.

El uso de la madera en lugar de plástico ayuda al niño a apreciar el mundo natural, los colores, las sombras, y las vetas en la madera y la variedad en el peso y tamaños de los juguetes de madera en una variedad de tamaños y densidades. La calidad muestra respeto por el niño y le enseña respeto por sus pertenencias. Belleza y durabilidad son importantes en todas las edades para que los gustos del niño se están desarrollando en estos momentos de su vida. Las personas que empiezan a apreciar vivir con lo bello desde edades tempranas, pueden fácilmente dirigir hacia la creación de un hogar bonito y quizás de un mundo más bello cuando crezcan.

### *Organizando y rotando los juguetes*

Los juguetes deben ser guardados en un área donde comparta con la familia, no solo en el cuarto del niño. Las cajas grandes tradicionales de juguetes, donde las piezas pueden perderse y los juguetes pueden no ser encontrados, no es de ayuda para un niño de esta edad con un fuerte sentido del orden. Los estantes son mucho más satisfactorios, donde los juguetes se mantienen siempre en el mismo lugar. Tener orden en el ambiente, crea un sentimiento de seguridad en el niño, y de confianza en el entorno. Las canastas, bandejas, o cajas pequeñas pulcramente organizadas y en estantes bajos pueden ser de gran ayuda para crear este orden.

Una pelota siempre estará en la parte superior de la lista de "juguetes favoritos".

Observe a su niño y mire cuales son los juguetes con los que más juega y cuáles descarta y ha olvidado. Intente mantener solamente para el niño aquellos juguetes que se puedan mantener en orden, y no repletos en una canasta, sino en una repisa.

*Aprendiendo a recoger los juguetes*

Limitar el número de juguetes disponibles en cualquier momento, y tener un espacio para cada juguete ayuda con la tarea de enseñar al niño a guardar los juguetes. Pero lo más importante es el ejemplo establecido por otros en el ambiente. Si el adulto regresa al estante cuidadosa y continuamente las piezas de rompecabezas o juguetes, con una sonrisa en frente del niño, el eventualmente imitará esta actividad. A veces regresarlos a las pequeñas canastas puede ser la parte divertida del juego en estas edades.

En una comunidad Infantil Montessori esta lección es mucho más fácil que en casa, donde los padres deben centrarse en varias situaciones a la vez mientras que el rol de la guía es modelar para el niño todo el día. Ella constantemente coloca todo en su lugar cuidadosa y lentamente y cuando el niño es consciente de ello, el querrá de manera natural aprender a hacerlo, tal como quiere aprender a imitar todo lo demás que hace el adulto hace.

Solamente palas reales de jardín, con mangos cortos funcionarán adecuadamente en la playa.

Es mucho más fácil acostumbrarse a guardar un juguete, justo después de usarlo, y antes de sacar otro juguete, cuando es obvio donde va en el estante, cada juguete tiene un "lugar". Es más difícil cuando se juega con todos juguetes a la vez y todos los estantes están vacíos, por lo que ayuda a adquirir el hábito de guardar un juguete antes de sacar otro. De nuevo, el adulto hace esto y finalmente es imitado por el niño. Los padres pueden hacer la diferencia haciendo como un juego de "regresar todo a su sitio" a cambio de ver esta actividad como una tarea estresante. Con niños pequeños no espere tener resultados inmediatos; ello tomo tiempo y mucha repetición (sonriendo).

*Respetando la concentración*

Uno de los aspectos más importantes que podemos hacer por un niño es respetar la concentración. Cuando un niño está involucrado en una actividad segura y con un propósito (una actividad que requiere esfuerzo tanto de la mente como del cuerpo - ¡no mirando televisión!) es considerado un trabajo importante, a ser protegido y respetado para aprender a apreciarlo. Lo más esencial para el desarrollo de un niño es la concentración. Ello sentará las bases para su carácter y el comportamiento social.

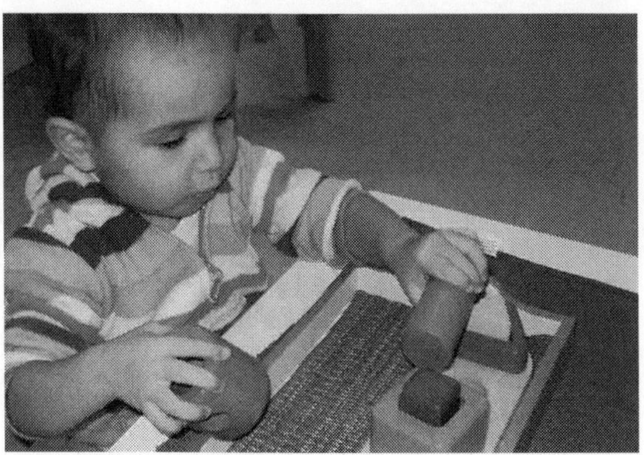

Los elogios, la ayuda o incluso una mirada pueden ser suficientes para interrumpirlo o destruir la actividad. Parece extraño decirlo, pero esto puede suceder incluso si el niño simplemente se da cuenta de que lo observan. Después de todo, nosotros los adultos también nos sentimos incapaces de seguir trabajando si alguien viene a mirar lo que estamos haciendo.

> *La habilidad del maestro (y los padres) para no interferir llega con la práctica, como todo lo demás, pero no es tan fácil. ¿Qué consejo podemos nosotros dar a las madres? Sus hijos necesitan trabajar en una ocupación interesante: no deben ser ayudados innecesariamente, ni ser interrumpidos, una vez han iniciado una actividad inteligente.*
> – Maria Montessori

Ensartar cuentas es otra actividad favorita, primero cuentas grandes de madera y luego, en un ambiente cuidadosamente supervisado por adultos, pequeñas cuentas.

### *Discriminación visual y control ojo-mano*

> *Es específicamente la oposición entre el dedo pulgar e índice lo que ha hecho posible la ejecución de los movimientos que son extremadamente refinados, que han producido el todo de la cultura humana-desde la arquitectura hasta la escritura, desde la*

*música hasta la pintura y toda la tecnología que enriquece nuestras vidas.*

– Silvana Montanaro

Cuando el niño explora el ambiente, está consciente de que está interesado en una variedad de colores y formas en el entorno interior y exterior. Este es el momento para de darles rompecabezas de formas y colores muy simples, ya que a los a los niños les encantan meter figuras dentro de las cajas, como rompecabezas cuyas piezas encajan en espacios que coinciden. El uso de rompecabezas con perillas y otros juguetes que requieren agarres especiales para los dedos y las manos, llamada pinza trípode, del pulgar y los otros dos dedos siguientes, preparan al niño para otras actividades musculares finas y más adelante hacia la escritura, mientras satisface sus necesidades de pensar y resolver problemas.

### *Juguetes de rompecabezas*

Aprender el correcto uso de elementos reales en el ambiente, es similar al uso de juguetes con un propósito exacto. Algunos juguetes, como son los rompecabezas, tienen una forma específica de utilizarse y otros tales como las muñecas y los bloques son más abiertos en su uso. Ambos son creativos, sin embargo, es un desafío encontrar juguetes que tengan una manera exacta de ser utilizados. A los niños les fascina conocer la manera correcta de usar los juguetes con procedimientos específicos, así como se sienten orgullosos de aprender la manera correcta de utilizar una herramienta para la trabajar la madera, o un instrumento musical, o los pasos para cocinar, o en solucionar un problema de la vida diaria.

A través de experiencias reales con juguetes como el rompecabezas, los niños pueden desarrollar muchas habilidades útiles: el agarre de materiales, movimientos refinados, completar el ciclo de una actividad, mantener pasos lógicos en una actividad, resolver problemas. Hay un control de error incorporado en los rompecabezas para que el niño pueda juzgar por sí mismo, sin la ayuda de un adulto, si su trabajo ha sido terminado correctamente. Esta es una actividad mental de alto nivel, como también lo son la maestría en seguir los pasos que lógicamente siguen al otro: aprehensión del agarre, remover las piezas del rompecabezas, uno a la vez, ubicándolos sobre una mesa, coger los agarres de nuevo y ubicar las piezas correctamente en el arco adecuado.

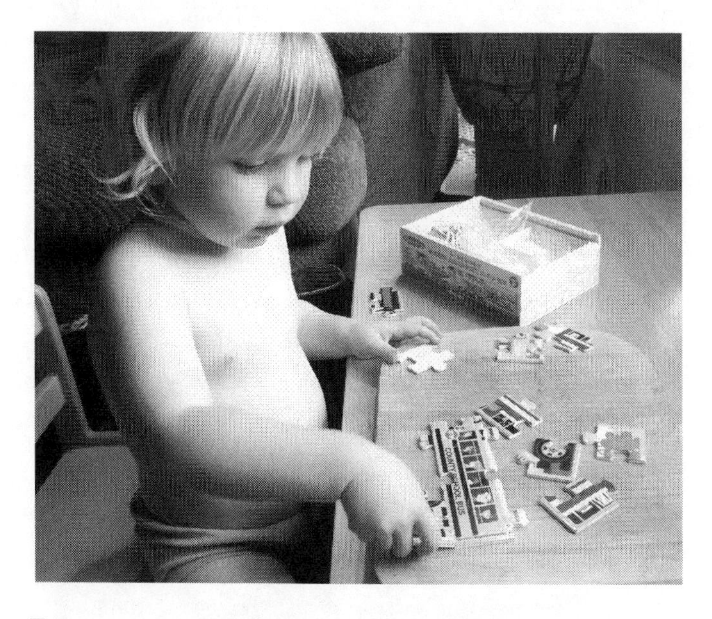

Esto es muy satisfactorio, mental y físicamente, que un niño se observe a menudo repitiendo la misma actividad una y otra vez, en ocasiones más de veinte veces y luego respirar con una mirada de satisfacción cuando termina. Nosotros no sabemos que ocurre en la mente del niño en estos momentos, pero si tenemos claro que es importante que no sea interrumpido.

Con unos buenos juguetes lógicos, los niños aprenden a hacer uso de su cuerpo bajo el control de su voluntad, a concentrarse, a hacer un plan, a seguir un tren de pensamientos, y repetir hasta perfeccionarlo. Estas son las bases de la creatividad. Cuando vamos a escoger un rompecabezas hay varios elementos para tener en cuenta, no solo mire por la durabilidad, seguridad, calidad y belleza, pero también la cantidad de tiempo con el que jugará (trabajo importante) y captará la atención del niño. Rompecabezas con agarre ofrecen más pasos para perfeccionar, encajar rompecabezas primero con figuras simples son las mejores para empezar, luego rompecabezas de dos piezas introducen al niño a nuevos retos y lo lleva hacia rompecabezas más complejos que le brindarán satisfacción mientras crece. Otros ejemplos incluyen bandejas para diferenciar objetos (clasificación), material de costura, formas, encajables, cuentas para ensartar, tuercas y tornillos de madera, cajas para abrir y cerrar, los primeros triciclos o bicicletas. Aprender el uso correcto de estos elementos es la base de la creatividad.

Los modelos animales son los juguetes favoritos.

### *Juguetes con opciones abiertas*

Con juguetes que tienen opciones abiertas como los bloques de construcción, un niño puede aplicar sus habilidades mentales y físicas aprendidas con otros juguetes, para expresar y procesar su única información mental. Él procesará y liberará experiencias, por ejemplo, cuando juegue con muñecas o modelos de animales. La calidad y variedad de juegos abiertos e imaginativos dependen de la calidad y variedad de las experiencias en el mundo de la realidad.

Lo más importante a considerar es que el disfrute del niño, porque es a través del trabajo divertido que el niño va a repetir, enfocarse, y crecer.

## EDAD 1-3: MÚSICA

¡Enseñando ritmos a través de la danza, la música y el ritmo de los tambores!

*Si puedes caminar, puedes danzar.*
*Si puedes hablar, puedes cantar.*
—Proverbio Zimbabuense

Cada uno de nosotros tiene un deseo innato por cantar, danzar, crear música y si proporcionamos estas actividades a nuestros niños acompañándolos cada día, ello se convierte en una experiencia beneficiosa también para nosotros. Cuando nuestra primera nieta tenía pocas semanas, nuestro hijo quien es músico, hizo una grabación para ella con cortos fragmentos de música de diferentes países del mundo: tambores africanos, salsa, etc. Luego, el cargaba a la niña mientras la música sonaba, danzaba con ella siguiendo los ritmos particulares de la música para que ella los sintiese en su cuerpo. Ella fue la primera nieta en acompañarnos con los tambores en nuestras tardes familiares musicales más adelante, e hizo un excelente trabajo al oír los ritmos y combinarlos con los tambores. Ella se ha convertido en una gran bailarina y quien sabe, si todo empezó con la grabación de la música y la danza. Él ha hecho lo mismo con todas sus sobrinas y sobrinos.

Para ayudar a construir la apreciación musical, es importante eliminar los sonidos de fondo cuando se ejecuta un instrumento o se escucha música, aunque para los adultos sea fácil excluir los sonidos de fondo, para un niño de esta edad no lo es, él oye todo. El gusto musical de un niño se forma a una temprana edad, por consiguiente, es un regalo para él proporcionarle lo mejor de todo tipo de música y la exposición a instrumentos reales cuando sean ejecutados, en lo posible.

El adulto no necesita tener una hermosa voz para modelar el canto para los niños- basta con una corta canción en cualquier momento durante el día, permitiendo que el niño se integre cuando desee. Cantar es terapéutico para todo el cuerpo, y es una práctica para el lenguaje- palabras, y patrones del lenguaje que de otra forma no surgirían en el lenguaje cotidiano.

*No habrá una nueva forma de sistema educativo mientras no consideremos seriamente el hecho de que tenemos una "doble mente". A los niños de todas las edades se les debe ofrecer una experiencia equilibrada de pensamiento VERBAL e INTUITIVO para ayudar a desarrollar el gran potencial de la mente humana. Los resultados incluyen no solo un mejor funcionamiento del cerebro sino también mayor felicidad en la vida personal y social.*

*En la educación occidental, tendemos a separarlos porque muchas de las cosas que el hemisferio derecho (intuitivo) es capaz de hacer, no son suficientemente valoradas en nuestra civilización. Es así como desde una muy temprana edad, los niños aprenden a no expresarse plenamente con ese hemisferio, pues no se les ha instado a dar mucha importancia al movimiento del cuerpo al danzar o al cantar, al dibujar...en todas las artes.*

*En las civilizaciones orientales, sin embargo, se da mucha más importancia a la parte intuitiva del cerebro, el hemisferio lógico es considerado irrelevante al resolver los problemas reales de nuestra existencia. Es una fuente de gran esperanza para nuestro futuro inmediato el hecho de que los seres humanos más avanzados de las dos culturas se están uniendo en el reconocimiento de que nos necesitamos mutuamente para sentirnos completos y que además tenemos mucho por compartir.*

—Silvana Montanaro

***Instrumentos de percusión y otros materiales musicales***

Durante el periodo de la *mente absorbente,* no podemos darle tanto al niño en forma de palabras e imágenes. Sin embargo, hay muy buenos discos compactos -CD- de canciones, juegos musicales con los dedos y música para bailar creada para niños. Si hay un reproductor de CD que el niño pueda operar, puede marcar el CD con una imagen, un violín para música con violín, etc. Si planea incluir música Suzuki en su familia, este es el momento para empezar a poner las grabaciones de los discos compactos, pues así como el lenguaje es escuchado primero y luego expresado en palabras, también lo es la música Suzuki; esto es conocido como el sistema de "la lengua madre" para aprender música.

También es el momento adecuado para que el niño pueda aprender los nombres de los instrumentos musicales clásicos y folclóricos. Primero trate de mostrar un instrumento real y luego una imagen de ese mismo instrumento, como una guitarra o un piano, y luego imágenes de muchos instrumentos diferentes en tarjetas y libros.

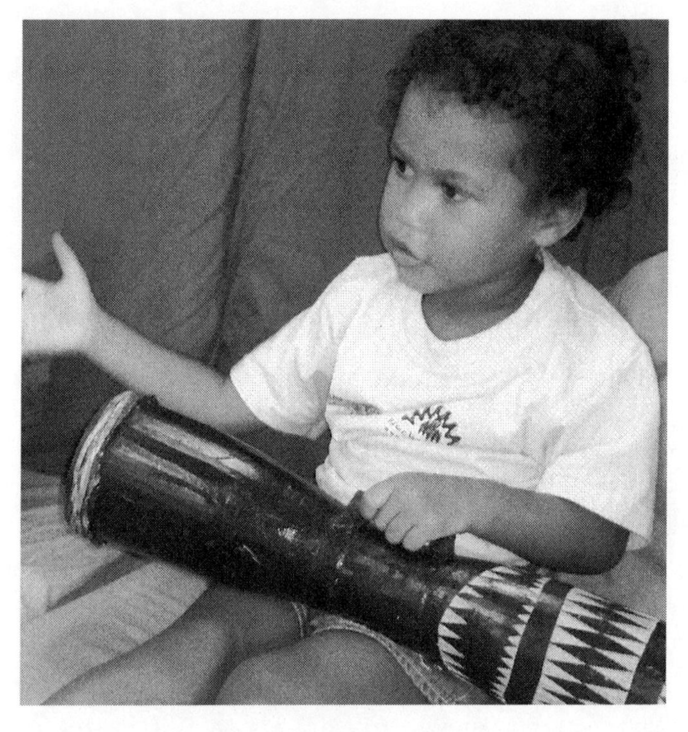

En nuestra casa tenemos una buena colección de tambores e instrumentos de percusión, pues cuando los adultos están tocando la guitarra o el piano, incluso los niños más pequeños pueden unirse al grupo. Es sorprendente como desde tan temprana edad un niño puede aprender a sentir y a reproducir ritmos alrededor de otras personas.

Un medico tibetano tocando música tradicional para su nieto.

> *Es importante que los niños se den cuenta que la música es siempre el resultado de movimientos corporales. Aunque existen sonidos naturales, los niños necesitan comprender que los seres humanos al emplear varios músculos de la boca, manos, y brazos producen música. Ellos deberían… tener la oportunidad de presenciar como los músicos controlan sus gestos para poder obtener diferentes sonidos musicales.*
>
> —Silvana Montanaro

Los instrumentos de percusión no plásticos de excelente calidad, harán que el niño se acostumbre al mejor sonido musical. Nosotros recomendamos instrumentos reales de diferentes países del mundo, así como instrumentos clásicos de occidentales, debido a la calidad, variedad y belleza del sonido. Por sobre todo, disfrute esta experiencia con su hijo - la música es uno de los mayores deleites de la vida.

Aquí tenemos ejemplos de tarjetas y réplicas de instrumentos musicales de la cultura del niño, y del resto del mundo.

Después de experimentar con instrumentos reales, grabaciones, imágenes en tarjetas y libros sobre instrumentos musicales, todo será mucho más significativo. Cuando sea posible facilite tarjetas con imágenes que el niño tenga que aparear con instrumentos musicales miniatura con los que esté familiarizado, luego los de otros lugares del mundo, ambos instrumentos tanto folclóricos como clásicos.

*Lo que no existe en el entorno cultural, no se desarrollará en el niño.*

– Dr. Shinichi Suzuki

# EDAD 1-3: LENGUAGE

Una madre escuchando cuidadosamente los pensamientos de una niña sobre una hoja que encontró

**Primero hay que escuchar**

*El lenguaje debe ser natural, emocionante, controlado, juguetón, real, y en sintonía con cada niño. Necesitamos examinar el uso de nuestro propio lenguaje y convertirnos en el mejor modelo a seguir para absorber el lenguaje. Debemos recordar que somos el material de lenguaje más importante en el ambiente."*

—Judi Orion

Mucho antes de que el niño se exprese en su lenguaje con claridad, él ha estado escuchando y absorbiendo todo lo que escucha. A menudo ni siquiera somos conscientes de que el niño lo está haciendo, pero tan pronto empieza a hablarlo, se vuelve muy evidente.

Tres veces en mi vida, con cada uno de mis tres hijos, he mejorado mi lenguaje a propósito, pues ¡todo lo que yo decía ellos lo repetían! En un ambiente rico de lenguaje, los adultos hablan al niño desde el nacimiento, no en lenguaje de bebé, pero con respeto y con un vocabulario preciso. Si queremos ayudar a nuestros hijos a que hablen correctamente, debemos modelar nuestro lenguaje mucho antes, de que pensemos que es necesario.

Haciendo y manteniendo contacto visual con el infante hasta que él decida mirar a otro lado.

**Una segunda lengua**

El niño absorbe todos los idiomas de la familia y de la comunidad desde que está en el útero. Esto continúa siendo una parte importante de la experiencia del niño durante sus primeros meses y años. En esta edad los niños muestran una habilidad misteriosa para absorber el lenguaje en todas sus complejidades y ¡no solo un idioma! Aquí tenemos un consejo que apoya el aprendizaje de más de un idioma a la vez.

*Si pudiésemos tener dos, tres, cuatro o cinco personas diferentes hablando diferentes idiomas alrededor de la niña, ella podría fácilmente absorber todos los idiomas sin ningún esfuerzo particular, previendo que cuando cada persona hable con ella sea SIEMPRE Y SOLO en su idioma. Pero esto es posible solo en los primeros años de vida.*

—Silvana Montanaro

**Escuchar e incluir al niño en la conversación.**

La atención que le damos a un niño cuando empieza a hablarnos es significativa. A menudo, un niño está tan entusiasmado con hablar y expresarse, que el tartamudea. Este es un estado muy natural en el desarrollo del lenguaje verbal y una señal para que el adulto se detenga, lo mire y escuche, NO para proporcionar la palabra que falta o hacer un comentario sobre el tartamudeo. Cuando el niño se asegura que será escuchado, por lo general se calmará y aprenderá a hablar con mayor claridad.

El desarrollo del lenguaje comienza antes del nacimiento y continúa siendo una parte esencial del desarrollo del niño en los tres primeros años de vida. Para ayudar de la mejor manera al niño en el desarrollo del lenguaje, debemos incluirlo en nuestras conversaciones desde el comienzo.

El autor con el nieto de la Dra. Montanaro en Roma.

Hace algunos años estaba almorzando en casa de mi guía-entrenadora Montessori Silvana Montanaro en Roma. Estaban presentes su hija y su pequeño nieto Raoul. Después de terminar de comer yo tenía a Raoul en mi regazo mientras conversábamos. Silvana vio que él estaba observando atentamente mi boca mientras yo hablaba; tal vez porque él estaba acostumbrado al italiano y yo hablaba en inglés.

Giré mi rostro para responder a una pregunta y Silvana me señaló al niño para que volviese a mirarlo. Ella me dijo que debía mantener el contacto visual con él hasta que él dejara de mirarme. Yo podría hablar al niño o con cualquier persona en la mesa, pero mi rostro debía estar mirándolo a él. Esto continuó por algún tiempo, y fue claro para todos nosotros cuando terminó de mirarme el rostro.

Yo nunca he olvidado esta lección y he compartido el consejo con mucha gente. Es sorprendente ver el placer en los rostros de los bebés, aun con un extraño en un supermercado o en el bus, cuando uno hace contacto visual y no mira hacia otro lado. A menudo es una nueva experiencia para el infante además de ser agradable.

Al dar una lección sobre los nombres de las frutas, prepárese para la posibilidad de que el niño quiera después comérselas.

### Vocabulario, palabras, fotos y libros

La experiencia sensorial de objetos reales debe realizarse antes de las imágenes o los nombres de estos objetos cada vez que sea posible. Por ejemplo, si tienes un libro nuevo con imágenes de frutas y vegetales, lleva al niño a la cocina para que toque, huela, corte, pruebe un pedazo de fruta; luego dé el vocabulario de los colores, la textura, el sabor o nombres como pelar, semilla, zumo, etc.

Modelos de animales, aprendiendo los nombres.

La inteligencia se construye gracias a una riqueza de experiencias seguidas por el vocabulario para clasificar y expresar experiencias. El niño a esta edad esta hambriento por aprender el nombre de cada objeto en su ambiente y el significado de las palabras que él oye que otros usan. ¡Él desea muchísimo ser capaz de comunicarse acerca de la vida diaria con su familia! Déle los nombres de los objetos de la cocina, juguetes, comida, vehículos, perros, acciones tales como revolver, pulir, saltar, etc. Cualquier cosa que se encuentre en el hogar y en la comunidad es válida. Realice juegos como el juego de decir nombres, le enseña a un niño los nombres de los objetos de una manera lógica. Es conocido como *la lección de los dos periodos.*

***La lección de los dos periodos***

Paso 1, dando los nombres: exponga algunos objetos interesantes del mundo del niño y nómbrelos de manera clara y repetidamente, invitando al niño a nombrarlos después de que usted lo haga. "Esta es una cuchara, una cuchara, cuchara."

Paso 2, practicando el uso de los nuevos nombres: pregúntale al niño "Por favor, ¿Me pasas la cuchara? ¿Puedes poner la taza al lado del tenedor? Por favor, pásame el platillo." Muchísimas gracias por pasarme el platillo. ¿Podrías colocarlo aquí? (señalando el espacio en el tapete o en la mesa), y así sucesivamente. En este paso hay mucho movimiento combinado con el uso de las nuevas palabras. Si el niño comete un error, sutilmente vuelve al paso de *nombrar* el objeto.

> *Hay un 'periodo sensitivo' para nombrar objetos… y si los adultos responden al hambre por las palabras en una manera apropiada, pueden dar a sus niños una riqueza y precisión de lenguaje que durará toda la vida.*
>
> —Silvana Montanaro

Cuando un niño ha aprendido los nombres de muchos objetos reales, podemos extender este vocabulario con imágenes. Libros de vocabulario y juegos de tarjetas con imágenes, como una colección de imágenes de gatos, son materiales educativos valiosos para los niños en el hogar, y les encanta.

La selección de libros es tan importante como lo es la de los juguetes. Visitar bibliotecas es muy importante, pero debería haber también libros favoritos en la propia biblioteca del niño. Algunas veces un niño en este periodo crítico o periodo sensible para el lenguaje querrá leer un libro una y otra vez. En otras ocasiones, solo querrá escuchar acerca de las imágenes y hablar. Un niño también ama que le mostremos como pasar las páginas de los libros con cuidado y como tomar, sostener, cargar y colocar en su lugar un libro.

Debemos esforzarnos por proveer libros que muestren niños de todas las culturas y que no se estereotipen situaciones y persona. El lenguaje del libro debe mostrar respeto por el niño, sus emociones, y su inteligencia. Haz selecciones cuidadosas de libros y provee un libreo, estanterías o lugar accesible para guardarlos, de modo que el niño pueda encontrar siempre el libro que desea, pueda cuidarlos y él mismo devolverlos en su sitio.

¡Sé exigente! Selecciona los libros cuidadosamente. Incluso muchos libros de vocabulario simple están saturados, llenos de colores brillantes, y son demasiado estimulantes para el niño. Es mucho mejor tener unos pocos libros hermosos a los que se aprecian y respetan que tener muchos que no tienen valor o no sean dignos para el desarrollo de la mente del infante.

*En esta edad, los temas en los libros deben basarse en la realidad, ya que el niño quiere aprender acerca del mundo real. Es el momento de proporcionar historias sobre nuestras propias vidas, y libros acerca de la realidad, exceptuando animales que hablan, como en las Fábulas de Esopo, las cuales serán para más adelante.*

*La fantasía es muy importante para niños mayores, pero es confusa para niños pequeños. Una rica base en historias sobre el mundo real es la mejor preparación para una imaginación creativa. Debemos revisar que los libros presenten realidad, ya que a esta edad los niños intentan dar sentido al ambiente y a la vida que los rodea. No hay nada más extraordinario e interesante que nuestra propia vida diaria. La fantasía puede venir después, después de que la realidad ha sido experimentada y absorbida."*

—Silvana Montanaro

La hija del autor en Bhutan, haciendo tarjetas con imágenes para un ambiente Montessori hecho de un libro encontrado en una tienda en la capital

Apareando pares de tarjetas con imágenes idénticas, aquí un conjunto de vehículos

**Lenguaje formal**

Acompañado de las palabras que utilizan en casa y en la comunidad del niño, este es el momento de introducir palabras, frases y temas que no forman parte de la vida diaria. Esto incluye poesía, rimas infantiles y canciones. Recitar algún poema enseña lo que significan las palabras, pero solo poesía que el niño no comprende es valiosa y él entenderá el significado más adelante.

Uno de los poemas favoritos que siempre he trabajado con los niños es "Jack sé ágil, Jack sé rápido, Jack salta sobre el candelero". Coloco una vela sin encender con un candelabro antiguo en el piso y luego digo la rima infantil y cuando digo la palabra "saltar" salto sobre el candelabro. A los niños les encanta hacer esto y lo repetirán una y otra vez, primero se dicen las palabras y luego el niño salta. Y todos conocemos lo divertido que es "caerse" al final de la canción "Anillo de rosas, flores y otras cosas", donde los niños juegan dándose las manos y bailando en círculo, para después caerse al final de la canción.

También es bonito como disfrutan la poesía de adultos tanto como las rimas infantiles. Estas pueden tener imágenes, una introducción a la metáfora, y no necesariamente tiene que rimar! Un buen ejemplo de esto es el poema "Niebla" de Carl Sandburg:

*Llega la niebla*
*Con sus mullidas almohadillas de gata*
*Se sienta a mirar*
*la ciudad y el puerto*
*sobre sus ancas calladas*
*y luego sigue su camino.*

**Contar historias, leer y escribir**

Por supuesto que el lenguaje hablado viene primero, y el adulto es la pieza más importante en el material de lenguaje en el ambiente. Los niños disfrutan cuando el adulto les habla, y les cuenta cuentos sencillos ("lo que desayune" o "había una vez un niño sentado en el regazo de su padre, mientras su padre leía para él. El llevaba pijama rojo..."), son más agradables que algo largo y fantástico.

La mayoría de los niños se sientan cautivados por horas si les leemos, así que es nuestra oportunidad para transmitir el amor por la literatura y la lectura, para enseñar hechos, valores y la pronunciación de palabras, incluso aquellas que no se usan con frecuencia en el lenguaje cotidiano.

Las bases para que un niño ame la lectura comienza cuando observa a otros a su alrededor leyendo y disfrutando la lectura, incluso cuando no se le estén leyendo en voz alta. Y a pesar de que muchos de nosotros hacemos nuestros escritos en la computadora hoy en día, es significativo para el niño que nos vea escribiendo sobre el papel con un lápiz o bolígrafo, haciendo notas de agradecimiento, tarjetas de cumpleaños, listas de compras, etc. No es casualidad que algunos niños sean buenos para leer y escribir y otros no, que algunos encuentren alegría en este trabajo y para otros sea tedioso. La alegría de explorar el lenguaje, comienza temprano y es la más intensa, durante los primeros tres años de vida.

Solo se usan letras minúsculas
hasta que el niño aprenda a leer y escribir.

**El Alfabeto**

Un niño pequeño cuyo hermano mayor está aprendiendo a leer, a menudo va a estar interesado en aprender acerca del alfabeto. Para no causar una confusión más adelante le ofreceremos a este niño el sonido de cada letra (en lugar del nombre de la letra) y utilizamos solo las letras minúsculas (en lugar de letras mayúsculas). Piense, cuando un niño aprende las mayúsculas y los nombres de las letras, aún no está listo para aprender a leer y escribir. Casi toda la escritura y lectura de letras minúsculas, "b" en lugar de "B" y sus sonidos es lo que necesitamos leer "sss" en lugar de "Esse" para la letra "S". Aprender las letras mayúsculas y los nombres de las letras, a pesar de que fueron enseñadas durante muchos años, es lo que hace que el aprendizaje de la lectura y la escritura para el niño sea tan difícil. Lo más importante para recordar es seguir los intereses del niño y seguir aprendiendo de forma natural y agradable.

"Por favor no me interrumpas. Estoy "leyendo."

**Mordiendo?**

El desarrollo del niño llega, no en un patrón predecible y estable, sino en brotes a veces llamados "explosiones del lenguaje".

Hay un periodo aparentemente inactivo que parece estático y luego viene la explosión y de pronto una nueva habilidad se desarrolla rápidamente. Un ejemplo es la explosión del habla. Por lo general, en algún momento del segundo año el niño comienza a comprender muchas, muchas palabras y tiene mucho que decir, pero no tiene la habilidad para pronunciar las palabras o frases. Esto puede causar una frustración aguda que algunas veces se expresa mordiendo: ¡uso inapropiado de la boca!

Esto no significa que el niño es *malo,* pero debemos proteger a otros niños así como hemos simpatizado con el niño frustrado. Para no causar una relación agresor-victima, lo mejor que podemos hacer es simpatizar con ambos niños de igual manera, "lamento mucho que te estés herido: lamento que estés frustrado". Lo más importante, por razones de seguridad y para enseñar la respuesta correcta a la frustración, uno debe hacer todo lo posible para reconocer la frustración que se acumula y alejar al niño antes de que él o ella muerda.

Hay algunos niños, especialmente en el mundo moderno donde vamos llenos de prisas, quienes han ya aprendido a llamar la atención con demasiada frecuencia por comportamiento negativo, como morder; donde ésta mayoría de niños prefieren recibir una atención negativa como que se les grite, en lugar de ser ignorados. Si usted cree que este es el caso, la solución es dar más atención al niño, pequeñas cosas para hacer y unirse a sus propias actividades, mas comunicación, cosas por hacer juntos, actividades interesantes para él para hacer por sí solo, así no tendrá la necesidad de llamar la atención con un comportamiento negativo como lo es morder.

Lo más importante de estas sugerencias es darle al niño *actividades interesantes para que las realice por sí mismo.* La concentración ininterrumpida y profunda a cualquier edad es lo que lleva de nuevo al equilibrio y a la felicidad.

*Entre más se desarrolla la capacidad de concentración, más frecuente será la profunda tranquilidad alcanzada en el trabajo y será más clara la manifestación de la disciplina dentro del niño.*

—María Montessori

Aquí hay un ejemplo de tarjetas de vocabulario de la propia cultura de un niño. Estas son frutas que se encuentran en Tailandia, con nomenclaturas en el idioma tailandés.

**¿Imaginación? ¿Mentiras?**

¿Cuál es cuál? Para el niño en esta edad no hay diferencia. En algún momento entre los 5 y los 7 años el niño se va a interesar en la justicia, la moral, la verdad y va a explorar estos conceptos en profundidad. Pero al final del período que va desde el nacimiento hasta los tres años, y durante el cuarto y quinto año, el intento de comunicación de un niño no debe ser interrumpido con preguntas sobre la verdad.

Cuando el niño, quizás por tener una buena audiencia a mano, irá y continuará con una historia que comienza conectada con la realidad y luego se convierte en una mentira, sería una buena idea que el adulto exprese algo como ¡Wow! ¡Qué gran imaginación tienes! o "¡Qué historia tan maravillosa!" De esta manera usted valida al niño para emplear el vocabulario, la imaginación, las habilidades verbales, y al mismo tiempo se introducen conceptos como la imaginación y cuentos, lo cual le ayudará eventualmente a resolver la diferencia entre imaginación y mentira.

**Materiales de lenguaje**

Las tarjetas de poesías pueden ser diseñadas con un símbolo. Libros de cartón duro pueden ser útiles en casa cuando no es siempre posible mostrarles cómo pasar cuidadosamente las páginas para que el libro se mantenga en buen estado. CD con música y rimas infantiles, libros de vocabulario con imágenes de objetos de la vida diaria como herramientas, ropa y alimentos. También se puede organizar un juego de tarjetas con los mismos temas.

Hemos visto un conjunto de rimas infantiles en bloques de madera, los cuales han sido siempre los favoritos de los niños de esta edad. En cada bloque hay un poema corto y un símbolo con el cual el niño puede identificarlo. Un ejemplo sería el bloque de "Los tres gatitos" con un esquema simple de tres gatos. El niño puede elegir el bloque con el símbolo y llevárselo al adulto cuando quiera escuchar ese poema en particular

Rompecabezas con letras en minúscula, como las piezas del rompecabezas familiarizan al niño con las formas de las letras minúsculas, incluso con el orden de estas en el alfabeto, no como una lección para leer y escribir, sino como una exposición al mundo al cual está entrando el niño. Y libros, libros de todo tipo mencionados anteriormente.

**Apoyando el desarrollo del lenguaje**

Para tener éxito en el lenguaje, un niño necesita confianza en que lo que dirá es importante, un deseo para relatar a otros una experiencia real, en el que el lenguaje está basado; y las habilidades físicas necesarias para leer y escribir.

Como ya lo he dicho, el adulto, el ambiente humano, es considerado el más importante material en el apoyo del desarrollo del lenguaje de un infante. Los adultos y los niños mayores, serán los modelos principales para escuchar, hablar, escribir, leer y amar el lenguaje.

Podemos ayudar al desarrollo del lenguaje del niño con la escucha, el contacto visual, hablándole con claridad en su presencia y ofreciéndole un ambiente estimulante, rico en experiencias sensoriales y dándole una experiencia enriquecedora del lenguaje, pues el lenguaje no tiene significado si no está basado en la experiencia.

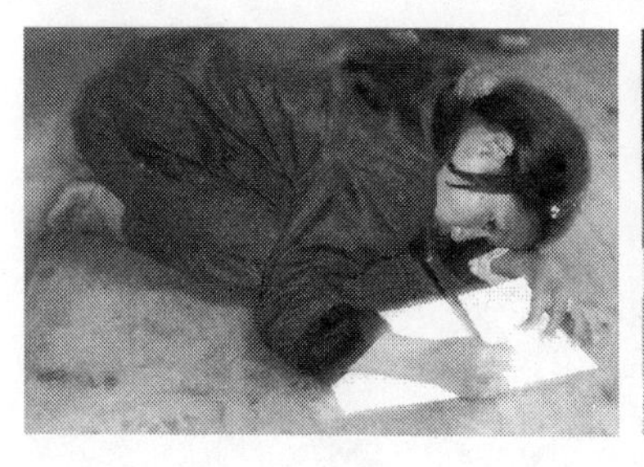 

Al ver a su hermana mayor escribiendo, esta pequeña niña en Bután consiguió su propio lápiz y papel para empezar a hacer su propia "escritura".

Primero se hace dentro del hogar, pero luego puede ser una experiencia por fuera en la naturaleza, para hablar acerca de las flores, los árboles, animales, y después las tiendas del supermercado para hablar sobre comida, etc. Podríamos ofrecer materiales tales como rimas y canciones infantiles, bloques, tarjetas de vocabulario, y libros con temas reales relacionados a la vida del niño. Podemos compartir buena literatura en forma de rimas, canciones, poesía, historias, lo cual aumentará enormemente el amor del niño hacia el lenguaje.

Todo esto establecerá el escenario para compartir nuestra poesía y literatura favorita con el niño mientras va creciendo. Este es el momento, más que en la etapa escolar o el periodo universitario, es cuando los humanos realmente aprenden el lenguaje.

# EDAD 1-3: Arte

***El Arte es más que dibujar***

El arte es una forma de acercarse a la vida, de moverse y hablar, de decorar una casa, una escuela y a uno mismo, de escoger juguetes y libros. No puede ser separado de otros elementos de la vida. No podemos "enseñar" a un niño a ser artista, pero como dice la Dra. Montessori, podemos ayudar a desarrollar:

*Un ojo que ve*
*Una mano que obedece*
*Un alma que siente*

*La verdad es que cuando existe un espíritu libre, tiene que materializarse en alguna forma de trabajo, y para esto se necesitan las manos. En todos lados encontramos rastros de obras del ser humano, y con estos podemos vislumbrar un poco de su espíritu y los pensamientos de su tiempo.*

—María Montessori

Después de cortar tiras de papel preparados por la profesora en pequeños cuadrados y rectángulos, el niño de esta comunidad infantil en Holanda, los coloca en un pequeño sobre. Un largo, lógico, y divertido trabajo.

A esta edad, los niños son capaces de muchas formas de arte visual y creativo, incluyendo cortar y pegar papel, dibujando con tiza, dibujando con lápices negros o de colores y crayones de cera, pintando con acuarelas y pintura de cartulina, y moldear arcilla.

Como cualquier otra actividad, hay muchos pasos en cada proceso y los niños se deleitan en aprenderlos. Para pintar por ejemplo, primero necesita ponerse un delantal, luego el papel se pone en un caballete (a menudo con ayuda), luego se aprende a sumergir el pincel en la pintura y pasarlo por el borde del recipiente para evitar goteos. Luego se aplica la pintura al papel como el niño desee y por el tiempo que muestre interes, cuando termine, se quita el delantal y se lava sus manos. En la primera presentación, ya que hay mucho para aprender, usualmente se le da solamente un color al niño. Cuando el niño domina este proceso, va a poder manejar la inmersión de su pincel en dos o tres recipientes de pintura para pintar.

Un niño más grande también aprende a poner el papel en el caballete, quitarlo, y a ponerlo en otro lugar para que se seque, aprende a lavar los pinceles, lavar el caballete, y más. El desafío depende de la etapa de desarrollo del niño. Una vez ví a un niño de casi 2 años en una clase infantil pintar con varios colores continuamente por 45 minutos y luego tomar otros 15 minutos para lavar sus manos.

*Materiales artísticos*

Debes probar las crayolas y los lápices antes de comprar. A veces, los modelos de baja calidad son muy duros y poco satisfactorios para el niño. Esto da como resultado una situación en la que el niño solo los utiliza por un minuto, y eso anula todo el proceso. Es lo mismo con la arcilla: debe ser lo suficiente suave para que el niño pase mucho tiempo moldeándolo. Es importante brindar la mejor calidad que podemos tener (lápices, crayones, rotuladores, arcilla, papel, pinceles) y enseñar al niño como utilizar y cuidarlos, y especialmente como limpiarlos y dejar todo en su lugar para que el espacio de trabajo, la mesa, la silla y los materiales artísticos, estén listos para el próximo impulso creativo.

Evitar rotuladores, pinturas y arcilla con tintes e ingredientes muy fuertes para niños pequeño y sensible.

Es divertido hacer proyectos de arte especiales en la casa y en la comunidad infantil, pero incluso a esta edad temprana, los niños se benefician al tener una variedad de materiales artísticos todo el tiempo a su disposición y un espacio para trabajar, donde no serán interrumpidos, cuando se sientan inspirados.

Este niño está siendo cargado para que sienta el arte tallado en la pared de un templo hermoso en China.

*Apreciación artistica*

La belleza y calidad de los primeros sonajeros y móviles de juguete es la primera lección intrínseca de apreciación al arte para un niño. Lo mismo ocurre con la elección de juguetes, carteles, y otras obras de arte en la pared del cuarto de un niño, y en el resto de la casa; los platos y cubiertos, y la forma en que los objetos se colocan en cestas en los estantes o colgados de ganchos - creando orden y belleza. Hay mucho arte para descubrir en el mundo, en los parques y en muchos otros lugares de un pueblo o una ciudad.

Cada parte de la casa o una comunidad infantil influye en el desarrollo del sentido de belleza y balance, forma, y color de un niño. Las reproducciones de grandes obras maestras, o fotografías hermosas, o las representaciones de los artistas de animales o niños, u otros temas apropiados de todo el mundo, inspira una apreciación de la belleza a cualquiera edad. Se pueden hacer grandes colecciones de arte hechas de calendarios antiguos y pueden ser colgados a la altura de los ojos del niño en cualquier lugar de la casa.

*Obra de arte*

Es importante que no hagamos modelos hechos por adultos, libros o páginas para colorear, o preparar papeles para "dibujar dentro de las líneas". Nunca se debe enseñar a un niño como dibujar o pintar algo - como una flor o una casa; el niño muchas veces solo va a repetir y repetir lo que le hayas enseñado. Artistas famosos como Paul Klee y Pablo Picasso trabajaron muchos años para lograr originalidad, espontaneidad, y cualidades infantiles que todos nuestros niños poseen naturalmente.

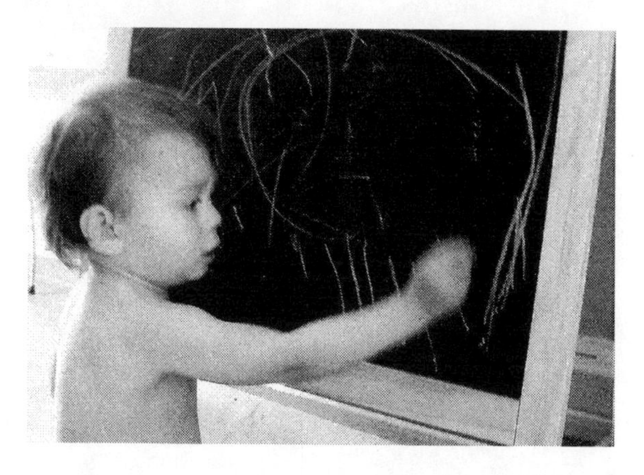

Dibujando con tiza en una pizarra caballete de tamaño infantile.

Lo mejor que podemos hacer para nuestros niños es preparar un ambiente hermoso, darles los mejores materiales, y dejarle el camino libre para trabajar.

# EDAD 1-3: PERSONA

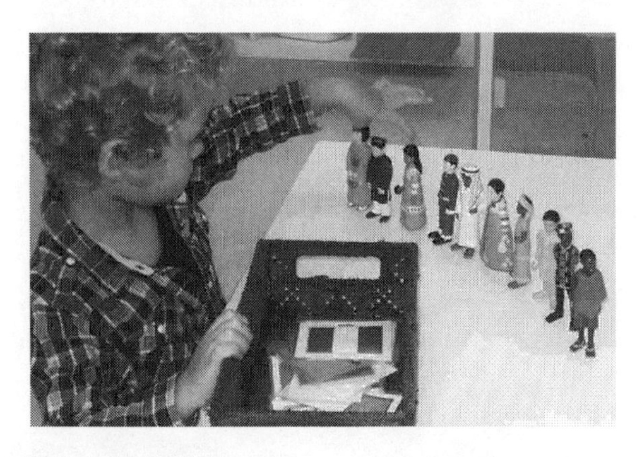

***Vida diaria de las personas del mundo***

*Los niños abrazan la vida que es vivida alrededor de ellos, toman las oportunidades que se les da, encarnan esta vida y estas oportunidades como la forma "normal" de la vida. Debido a este tremendo poder, el poder de la mente absorbente, tenemos la oportunidad de darles a los niños una vida rica en todas sus manifestaciones, la vida en toda su belleza, su desafío, su exquisitez: desafíos físicos y psicológicos, multigeneracional, variedades de colores de tez, color de cabello y maneras de vivir la vida. Esta exposición permite que los niños crezcan sin prejuicios y con parcialidad, con una apreciación por la vida en todas sus manifestaciones.*

—**Judi Orion,** Profesora Entrenadora Montessori para Asistentes a la Infancia

Hoy, el mundo está convirtiéndose en una comunidad pequeña con actitudes positivas para todas las personas que tienen diferente colores de tez, idiomas, comidas, y canciones son más importantes que nunca. Estas actitudes empiezan a formarse en los primeros años de vida, a medida que el niño absorbe los sentimientos en el hogar o en la comunidad infantil.

Explorando verdadera casa tradicional nativa americana del pueblo Yurok en el norte de California.

Podemos fomentar una introducción sana y amorosa con las culturas del mundo al pasar tiempo con personas que hablan un idioma diferente o que provienen de un entorno cultural o nacional diferente. Estos pueden ser vecinos, amigos personales, miembros de una iglesia, la escuela u organización de voluntariado, e incluso celebraciones anuales.

En las grandes ciudades esta es una tarea fácil; simplemente camine en el centro y escuchará diferentes acentos e idiomas, olerá la comida, y a veces también puedes encontrar los bailes y las canciones. Pero incluso si vivimos en zonas rurales, es posible escuchar la música con cintas y CDs, y cocinar las comidas. A través de presentaciones tan simples e informales, los niños llegan a comprender que todos los humanos tienen necesidades y experiencias similares.

Este niño pequeño está emparejando pequeñas réplicas de edificios famosos, como la pirámide Azteca y el edificio Empire State, con fotos de ellos.

Si se pueda o no tener estas experiencias, es posible ayudar a ampliar la visión de la humanidad del niño al proporcionar, siempre que sea posible, exposición a una variedad de arte, música, comida, canciones, vestimenta, celebraciones, bailes, casas, idiomas, medios de transporte, herramientas - en casa y en la comunidad infantil. Podemos proporcionar experiencias y oportunidades de conversaciones sobre diferentes elementos de culturales mediante el uso de imagines y libros a esta edad.

Este es el tiempo de la mente absorbente, la edad cuando el niño literalmente se convierte en todas las impresiones tomadas en el ambiente. Es el momento para introducir casualmente estas experiencias, no con lecciones, sino de manera experimental y sensorial. Use nombres reales de la comida, las canciones, las herramientas, para que el niño desarrolle un vocabulario que coincida con sus experiencias.

Más tarde, se basará en estas impresiones tempranas para dar sentido a la historia y las culturas del mundo, y de repente ver más allá de todos los prejuicios que muchas veces vemos en las noticias y en el mundo.

*Materiales*

¿Por qué no tener los globos terráqueos como las primeras pelotas que tiene el niño? Globos terráqueos grandes y pequeños, suaves como pelotas, son los preferidos en las comunidades Montessori, no solamente en lecciones formales, pero también para practicar el hacerlas rodar o para tirarlas. El niño se va a familiarizar con las formas geográficas del globo terráqueo, y hará que estudiar geografía más tarde sea como volver a ver a un viejo amigo.

Cerca al final del tercer año, es una buena idea tener un globo terráqueo real, y/o un mapa del mundo en la pared en la casa, para que el niño pueda hacer referencia a diferentes lugares de manera tangible y física. El niño no comprenderá el alcance del espacio y de la distancia, pero estará interesado en los colores, las formas y va a querer ponerle nombres a cada uno: "Africa", "Indiana", "Las Amazonas", etc. Eventualmente, el globo o mapa real debe mantenerse a la vista en un área familiar, en lugar de la habitación del niño, por lo que será visto como una pieza real de material importante utilizado por toda la familia.

Las imagines que se cuelgan a nivel del niño, pueden ser de todo el mundo, y no solamente de la cultura del niño. En un salon de clases en China, vi un hermoso grabado en madera en color tradicional de una mujer cocinando, que colgaba justo encima del lugar donde los niños estarían horneando el pan.

Mesa para hornear pan
en una comunidad infantil Montessori en China.

La música puede venir de otras tradiciones, y hay un encantador CD de canciones de cuna que tiene canciones cantadas en muchos idiomas diferentes. En algunos lugares es posible introducir las frutas y vegetales que vienen de diferentes países al niño, como el plátano, uno puede ser verde que se corta y fríe, en lugar de servirse dulce.

Esta es la edad para introducir tantos elementos sensoriales de la cultura del niño como sea posible, pero también de otras culturas del mundo, porque él será un ciudadano del mundo.

## EDAD 1-3: PLANTAS Y ANMALES

Cuidar plantas en esta comunidad Montessori en las Islas del Estrecho Torres en Australia, significa ¡regar grandes palmeras!

***Un amor natural a la naturaleza***

*El cuidado solícito de los seres vivos satisface uno de los instintos más vivos de la mente del niño. Nada es mejor calculado que esto para despertar una actitud de previsión.*

—Maria Montessori

Nos enfocamos en el amor natural del niño y su afinidad con la naturaleza, y en la tendencia de querer tocar, sostener, y cuidar especímenes de la naturaleza como las piedras, conchas, semillas, flores y hojas, insectos, gatitos y todo lo que tiene y no vida. Una atmósfera de amor y respeto por las plantas y los animales en la casa es la mejor base. Nada puede sustituir el caminar en la naturaleza, escuchar a los pájaros, buscar conchas en la playa, observar el crecimiento diario de una flor en un jardín. Desde el comienzo de la vida, es vital mantener este vínculo entre el niño y la naturaleza.

Las tarjetas de vegetales están sobre una mesa en la sala de estar. Al niño le encanta correr desde la cocina para coger los vegetales que emparejan con las tarjetas. Los niños a esta edad quiere ejercer el máximo esfuerzo.

***Experimentar y nombrar plantas***

Para el niño, podemos darle flores y frutas para que exploren con la vista y el olfato; enséñale las sombras de las hojas de los árboles y el sonido de su susurro en el viento. Es importante que el niño pase tiempo al aire libre, experimentando con la naturaleza todos los días si es posible - en cualquier tipo de clima y durante todas las estaciones. Muy temprano en la vida, el niño va a apreciar la variedad de texturas y los colores de la corteza de los árboles, las hojas y las flores, luego mirará imágines con colores brillantes en libros de plantas.

En los primeros tres años de vida, el niño absorbe sin esfuerzo cada experiencia y los nombres de todo lo que lo rodea. Durante este periodo de vida, él comenzará a "explotar" en el lenguaje, utilizando todas las palabras que ha estado escuchando. Entonces, desde el comienzo podemos usar palabras exactas, para que el niño pueda también utilizarlas. No solamente es una flor, sino, una Amapola de California, y palabras descriptivas como naranja, pequeño, y suave. Si eres un jardinero que sabe los nombres científicos o incluso en latín de las plantas, vas a encontrar que estas palabras son igual de fácil para el niño como los nombres comunes y que divertido es aprenderlos ahora.

Si estás planeando un ambiente al aire libre que sea bueno para los niños, asegúrate de incluir un espacio para plantas silvestres y animales. Algunos de los mejores especímenes biológicos son las plantas silvestres como los dientes de león y los cardos. Cuando el niño empiece a caminar, va a haber mucho que puede hacer con las plantas: recoger las hojas secas debajo de una planta de interior, desempolvar hojas de las plantas, cortar y servir fruta fresca, arreglos florales simple y laver hojas, entre otros.

Recuerdo que en un invierno, salí a caminar al bosque con mi nieto, quien recién estaba comenzando a hablar. Había musgo en la base de un árbol, entonces toque el musgo y le dí la palabra. Lo mismo pasó con el tronco de un árbol que estaba más allá en el camino. Cada vez que yo tocaba el musgo y decía la palabra, el me imitaba. De pronto, su cara se iluminó porque había entendido el concepto.

A partir de entonces, cada vez que nos acercamos a un árbol con musgo en la base del tronco, mi nieto lo tocaba y decía la palabra. Fue emocionante verlo dar este paso en la comprensión y en el lenguaje.

*Jardinería*

Tener herramientas de jardinería, una pequeña carretilla y ayudar a transporter los recortes del césped o otras cosas que necesitan ser transportadas, es una excelente manera de involucrar al niño con trabajo en el jardín. Pero incluso una maceta con una planta es mejor que nada cuando no hay jardín. Una maceta grande de arcilla incluso puede servir como un gran jardín de temporada en constante cambio para la familia, y es justo el tamaño correcto para que el niño participe en jardineria en sus primeros años.

A los niños les encanta ver como un tulipán emerge del suelo en primavera después de plantar los bulbos y esperar mucho, mucho tiempo, o ver brotar semillas en un frasco para hacer brotes de frijoles para comer. Pueden ayudar a limpiar un comedero para pájaros o lavar herramientas de jardín y ponerlos en su lugar después de utilizarlos. Independientemente de lo que hagamos en nuestra casa al jardín, usualmente hay una pequeña parte que el niño puede hacer para participar. Asegúrense de que las plantas y herramientas de la casa y el jardín sean seguras para los niños.

***Observando y cuidando a los animales***

Cuelga un comedero de pájaros justo afuera de una ventana, y enséñale al niño como sentarse silenciosamente para que los pájaros no tengan miedo. Los binoculares para los niños pueden brindarles la sensación de participar de las actividades de las aves, y permitir que él las mire desde la distancia. Tener unos renacuajos como invitados temporales, y ver como los capullos eclosionan, son experiencias realmente mágicas para el niño. Proporcionan la experiencia de ver a una criatura de cerca, sin tener que sacarlo permanentemente de su hábitat natural. Debido a que los animales salvajes son menos accesibles para los niños que las plantas, sugerimos que el niño observe a las aves, insectos, y otros animales en la naturaleza, y luego de esa experiencia, proporcionar al niño más modelos de animales, imagenes y libros sobre ellos - libros ilustrados, libros de lectura inicial y libros de referencia.

Incluso antes de cumplir un año de edad, este niño veía los pájaros a través de una ventana mientras comían en el comedor de pájaros. Él está creciendo con un gran interés en las aves.

El cuidado de los animales puede empezar de temprana edad. Al niño pequeño le va a encantar participar en ponerle comida al gato en su plato, o aprendiendo a acariciarle de la manera correcta.

En una comunidad infantil Montessori los niños veían, cada dia, dos diferentes tipos de gatos y aprendieron sus nombres correctos; quizás era un calicó y un siamés. La guía, siguiendo el interés de los niños, luego preparó un conjunto de tarjetas grandes con fotos y los nombres correctos. Pronto los niños, todos menor de tres años, iban a casa hablando de los gatos Abisinios, Maine Coons, Himalaya, los Gatos del Bosque Noruego, Persa, Azul Ruso, y muchos más. Fue una gran elección para el hambre de lenguaje en este periodo de vida.

Una vez tuve una experiencia triste en un parque (no nombrare el país) donde se les había dado una pequeña red de acuario a unos niños. Les enseñaron cómo sumergir la red en un estanque y atrapar a los renacuajos. Luego arrojaron los renacuajos sobre la hierba detrás de ellos y se sumergieron en busca de más renacuajos, mientras los que estaban en la hierba murieron. Para mi era otra lección de cómo las actitudes de los adultos afecta a los niños. Estos niños estaban aprendiendo una falta de respeto por la vida - utilizar la naturaleza para su propio placer en lugar de respetar y cuidarla.

Aprender a alimetar, acariciar y jugar con un animal, puede reemplazar el miedo por el amor.

Mientras observamos y seguimos la apreciación del niño para el mundo natural, podemos despertar recuerdos de nuestras propias vidas tempranas - un regalos de nuestros niños que nos ayuda a ir más despacio, practicar el estar presentes en el momento con la belleza de la naturaleza que está alrededor de nosotros, para escuchar, saborear, ver, sentir, y apreciar.

Este niño corta flores y las arregla en pequeños floreros de vidrio, para ponerlos en las mesas de la comunidad infantil.

*Materiales*

Un paño pequeño para el polvo o una regadera le permite al niño desempolvar las hojas de una planta interior o regarla. Un niño puede usar floreros pequeños, tijeras seguras, y embudos para llenar los floreros con agua y hacer pequeños arreglos florales para decorar la mesa. Las herramientas de jardinería que tienen manijas de madera reales y piezas de metal, en lugar de las hechas completamente de plástico, las regaderas del tamaño correcto y una carretilla, permitirán que el niño participe en trabajos de jardinería reales.

Los modelos de animals, siempre han sido el juguete preferido de los niños y se puede usar para combiner los modelos con las imágenes. Pero por favor asegúrese de que los modelos de animales que tiene el niño está hecho de plástico seguro como los que están hechos por compañías europeas, que tienen estándares altos.

Los modelos de animales pueden ayudar a que el niño explore a los animales fuera de su ambiente inmediato y aprender incluso más nombres. Los binoculares ayudan a estudiar a la naturaleza desde una distancia. Hermosas imágenes de plantas y flores, y algunas veces ejemplos de grandes obras de trabajo pueden ser colgados en la pared. Podrias quedar sorprendido por la preferencia del niño a los libros sobre plantas y animals, y no a los de ficción, cuando se le haya introducido a las cosas reales, los nombres reales y se haya despertado su curiosidad.

# EDAD 1-3:
## CIENCIA FÍSICA Y MATEMÁTICAS

La exploración de las propiedades de la arena húmeda y la arena seca es interesante para los niños en esta comunidad infantil en Albania, así como para los niños en cualquier parte del mundo.

***Los comienzos de la ciencia de la física***

*La guía no debe limitarse a amar y entender al niño sino que debe primero amar y entender al universo.*

—Maria Montessori

Aun cuando la palabra *física* puede infundirnos a nosotros adultos un poco de temor, debido a nuestras experiencias con una asignatura considerada difícil, es en realidad en esto que el niño pequeño está interesado. La física incluye el estudio del calor y el frio, del sonido, el peso, el espacio, y la distancia, el tamaño, el tiempo, la mecánica, la gravedad, la electricidad, etc.

¿A que niño no le gusta saber? de dónde sale el sonido cuando deja caer un objeto en el piso, o cuando toca un tambor, o cuando descubre lo que ocurre cuando alcanza el interruptor de la luz para encenderlo y apagarlo. El interés y el amor por la astronomía, la geología, el lodo húmedo y seco, ocurre y así es como la ciencia comienza en una edad temprana.

"¿Por qué esta tierra húmeda está pegada en mis manos?" (Esto es física.)

Las primeras lecciones vienen de la naturaleza-experiencias con el sol y el viento, jugando en la arena con agua y lodo, viendo el amanecer y atardecer, y observando las estrellas en la noche, visitando la orilla del mar, la colección de rocas y minerals del niño. Primero le ofrecemos al niño la experiencia de las rocas, arena, agua, lodo, océanos, nubes, lagos, y así sucesivamente; y luego le facilitamos los nombres. Toda esta experiencia y conocimiento conduce a un interés natural y responsabilidad a una edad posterior pues los niños aman lo que conocen.

Mirando de cerca hermosas rocas y minerales a través de una lupa.

*El comienzo de las matemáticas*

La base para amar las matemáticas no proviene de las lecciones de memoria, sino por medio de la experiencia alegre y gratificante de ver formas y objetos, en exploración con las manos, y en movimiento a través del espacio. El desarrollo de la mente matemática, la cual existe con el nacimiento y la cual existirá durante toda la vida, proviene de actividades simples y cotidianas en la – temprana edad - coleccionando, contando, seleccionando, ordenando, clasificando, comparando tamaños y colores, cargando objetos pesados, poniendo la mesa, descubriendo relaciones y patrones a través de estas actividades.

En el pasado, las relaciones matemáticas eran milagros maravillosos y aun lo son para el menor quien las descubre por primera vez. Genera una alegría inmensa en el adulto cuando opta por tomar cierta distancia y observa estos descubrimientos a medida que el niño los hace.

En esta edad los niños aman transportar cosas pesadas. Esto es física. Y poner la mesa con la silla, plato, tenedor, para cada persona. Esto es matemática y física.

Recitar *uno, dos, tres, cuatro, cinco,* etcétera es divertido para un niño, pero no es en realidad aprender matemáticas.

La matemática comienzan con el entusiasmo de moverse y tocar objetos reales, colocándolos en grupos, contando cada uno, uno a la vez. Es emocionante descubrir que estas palabras corresponden a cantidades de objetos tales como: botones, guisantes, cucharas, miembros de familia, estrellas en el cielo- y más tarde darse cuenta que estos conceptos se utilizan y se entienden ¡en todo el mundo!

Colocar bloques geométricos en los espacios correspondientes en una bandeja de madera ejercita la mente matemática.

*Este sistema en el que el niño está constantemente moviendo objetos con sus manos y activamente ejercitando sus sentidos, también tiene en consideración la aptitud especial de un niño por las matemáticas.*

*Si los hombres solo hubieran empleado el habla para comunicar su pensamiento, si su sabiduría se hubiera expresado solo en palabras, no quedarían huellas de generaciones pasadas. Es gracias a la mano, compañera de la mente, que la civilización ha surgido. La mano ha sido el órgano de este gran regalo que hemos heredado.*

—María Montessori

# TERCERA PARTE, EL ADULTO

## EDAD 0-3:
## PPREPARANDO EL AMBIENTE

Una colina para aprender a rodar;
¡eso es un entorno!

*Nadie puede predecir cuál será el destino de un individuo. Lo único que se puede hacer es ofrecer a cada niño la oportunidad de desarrollarse de acuerdo con sus propias potencialidades y adquirir nuevas perspectivas que faciliten su exploración e internalización del mundo cultural que lo rodea. Este es el propósito del ambiente preparado.*

– **Mario Montessori Jr**,
*Educación para el Desarrollo Humano*

*¿Que necesitamos para un nuevo bebé?*

Cuando los padres se estén preparando para el primer hijo, se verán abrumados por anuncios sobre lo que "necesitan" para ese niño. Parece que estos anuncios están destinados a vender cosas mucho más que proporcionar lo que es realmente bueno para el niño. Muchos artículos no solo son demasiado estimulantes para el niño pequeño (demasiados objetos, colores incómodos y brillantes) sino que obstaculizan el desarrollo natural de habilidades importantes como el lenguaje (chupo, chupetes) y el movimiento (cunas, columpios, y sillas altas para comer) e incluso a veces pueden ser peligrosos (caminadores y plásticos que liberan toxinas)

El ambiente simple, natural y gentil que alienta, los sentimientos de seguridad, comunicarse con los demás y a moverse, ese es el ambiente superior para el niño desde el nacimiento hasta los tres años.

El mejor momento para preparar el ambiente es antes del nacimiento. Los padres deben gatear alrededor de la habitación del niño para ver qué puede alcanzar o a que se pueda sentir atraído. Escuche los sonidos: ¿Puede escuchar el viento en los árboles o los sonidos de la naturaleza? ¿O por el sonido del televisor o la radio que son abrumadores, no logra hacerlo?

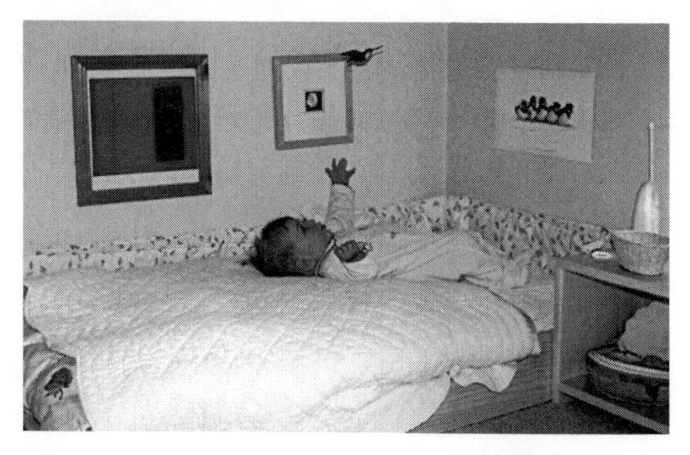

La cama del piso de un niño

El niño, incapaz de filtrar lo innecesario o lo perturbador como puede hacerlo un adulto, escuchará y se verá afectado por cada sonido y visión. Es importante para el sentido del orden del niño, su seguridad, mantener el ambiente igual durante el primer año. Planificar y preparar el entorno con anticipación lo hace posible.

*La seguridad primero*

Un niño se desarrollará más plenamente (mental, emocional y físicamente) cuando sea libre de moverse y explorar un entorno cada vez más grande. Pero para darle al niño esta maravillosa libertad, debemos examinar, el hogar o la guardería, con gran detalle y con mucho cuidado. Cuando un niño es libre de dejar su "cama de piso", moverse por su habitación, y luego por las otras habitaciones se debe prestar especial atención a cubrir los enchufes, pegar los cables a la pared o al piso, quitar las plantas venenosas y los productos químicos, quitar cualquier objeto que pudiera hacerle daño al niño. A medida que el niño comienza a gatear rápidamente y caminar, los adultos deben de continuar haciendo todo a prueba de niños en la casa.

Una alfombra de juego en un área de la casa donde el bebé pueda estar con la familia

*Principios generales del ambiente*

Las siguientes son algunas cosas a tener en cuenta al organizar el entorno de un niño.

(1) Participación en la vida familiar: Desde los primeros días, invite al niño a la vida familiar. En cada habitación, el dormitorio, el baño, la cocina, el comedor, la sala de estar, el vestíbulo, etc., tenga un espacio para que el niño pueda pasar.

(2) Independencia: El mensaje del niño para nosotros a cualquier edad es "Ayúdame a hacerlo yo mismo". Apoyar esta necesidad muestra respeto y fe en el niño. Piense detenidamente en las actividades familiares en todas las áreas del hogar y organice cada espacio para apoyar la independencia. Un colchón de tamaño cuna para la cama del niño; un armario pequeño, un perchero para abrigos, una barra baja o ganchos de ropa para los lugares donde el niño se viste o se desviste (vestíbulo, baño, dormitorio, etc.); un taburete o banco para quitarse los zapatos y las botas; acogedores estantes para libros, platos, juguetes.

Este es un baño muy amigable para los niños de un hogar en Oregón, donde la madre, una maestra Montessori Asistente a la Infancia, tenía una comunidad infantil.

(3) Pertenencias: Esto plantea un punto muy importante. Es demasiado como para que alguien cuide

o disfrute sus pertenencias cuando hay demasiadas a la vez. Al preparar el ambiente hogareño para un niño, tenga un lugar para guardar ropa, juguetes y libros que no se estén usando. Cámbielos cuando vea que el niño se cansa de lo que está en el estante, en la exhibición de libros o en la canasta de juguetes. Tenga algunas prendas de vestir disponibles para que el niño elija qué ponerse cada día, solo algunos juguetes que en verdad disfrute y solo algunos libros favoritos o nuevos.

(4) Guardar y el Sentido del Orden: "Disciplina" proviene de la misma palabra que "Discípulo", nuestros hijos se vuelven disciplinados solo imitándonos; así cuando enseñamos modales de cómo decir "gracias", modelando esto para nuestros hijos en lugar de recordarles que lo deben hacer, de la misma forma podemos enseñarles a guardar sus libros y juguetes, solo

haciéndolo con gracia y alegría una y otra vez en su presencia.

Este niño está aprendiendo a gatear y ya está explorando toda la casa, por lo que DEBE de estar a salvo. (En un ambiente a prueba de niños)

La gente siempre se sorprende de lo ordenada y hermosa que parece una buena clase Montessori. Esto no es porque la maestra esté imponiendo su propio orden al niño, sino porque está satisfaciendo el fuerte sentido del orden al niño.

***El ambiente y la mente absorbente***

Durante los primeros tres años, el niño absorberá, como una esponja, cualquier cosa que haya en el ambiente, fealdad o belleza, comportamiento grosero o gentileza, lenguaje bueno o malo. Como padres somos los primeros modelos de lo que significa ser humano. Si nuestros hijos están en un entorno de cuidado infantil o en una comunidad infantil, debemos exigir los mismos altos estándares.

La calidad y la belleza del ambiente, de los libros y materiales son muy importantes para atraer, satisfacer y mantener la atención del niño. Si el niño está expuesto a hermosos móviles, carteles, sonajeros, y juguetes, hechos de madera y otros productos naturales, ayudará como adulto, a crear un mundo con los mismos altos estándares. Los juguetes, sonajeros, rompecabezas, mesas y sillas, hechas de madera, desarrollan una apreciación por la naturaleza y la calidad, protegen al niño de los químicos inseguros que se encuentran en muchos materiales sintéticos. Las imágenes en la pared, colgadas a la altura de los ojos del niño, pueden ser bellas impresiones artísticas enmarcadas o simples carteles. Nuestro primer entorno nos ha influenciado a todos, y nada ayuda a crear belleza en el mundo tanto como dar belleza a los más pequeños.

*El ambiente exterior*

Cuando decimos "darle el mundo al niño", esto no significa el interior de los edificios, sino zonas de hierba, gloriosos amaneceres y atardeceres, los fuertes vientos de otoño que limpian, el sonido de los pájaros en los árboles, las estrellas y las nubes, la infinita variedad de hojas y flores, el hermoso mundo de la naturaleza.

A veces olvidamos que la vida cotidiana se llevó a cabo primero en el exterior, las personas ingresan a sus hogares para refugiarse de los elementos del clima. Este sigue siendo el instinto del niño. En los primeros días de vida, solo un soplo de aire fresco y una mirada a las ramas de los árboles que se mueven con el viento cada día es suficiente; pronto una caminata diaria en el portabebés o cochecito; y antes de que te des cuenta, caminatas dirigidas por el niño, donde cada cosa nueva (grietas en la acera, desfile de hormigas, charcos, paredes de ladrillo, malezas y cardos), muchos detalles que nosotros como adultos previamente pasamos por alto, encantarán al niño y harán un corto paseo en un largo descubrimiento. A veces, un "paseo al parque" puede tomar una hora y este ni siquiera va más allá del caminero del frente de nuestra casa.

¡El ambiente exterior es interesante para el niño, ya sea en sol, viento, lluvia o nieve!

Un día, un nuevo maestro le dijo a la Dra. Montessori que no había nada que valiera la pena explorar en el ambiente exterior de la escuela de su ciudad. Entonces la Dra. Montessori llevó los niños afuera, al frente del edificio, una hora más tarde no habían ido más allá de una zona de hierba a pocos metros de distancia. Estaba lleno de pequeños detalles de la vida y fue absolutamente fascinante para los niños. Es muy bueno para nosotros los adultos ir más lento, olvidar nuestro plan y seguir al niño a medida que descubre, huele, ve, escucha y toca el mundo exterior.

Buscando renacuajos

Dé la bienvenida al niño a su trabajo externo: lavar el automóvil, trabajar en el jardín, cualquier cosa que pueda hacer afuera en lugar de adentro, siempre hay una pequeña parte del trabajo real que un niño puede hacer. Intente crear un área exterior donde el niño no solamente pueda realizar actividades externas, como jugar en un arenero, sino también actividades que realizaría en el interior, como lavarse las manos o lavar los platos, mirar libros, hacer un rompecabezas.

En este país, las actividades "intelectuales", a menudo se realizan en el interior y las actividades de "movimiento grueso" se realizan en el exterior. Entonces, lo único que uno encuentra afuera es el equipo de juegos en el patio de recreo. Esto separa el trabajo de mente y cuerpo, divide la vida naturalmente integrada del niño pequeño. El trabajo más importante se realiza con la mente y el cuerpo trabajando juntos para crear. Es ideal, pero no siempre posible, crear un acceso libre para el niño, que vaya de adentro del ambiente hacia afuera al patio. Una alternativa es una estructura exterior cubierta, conectada a la puerta principal de la entrada del ambiente u otro espacio exterior seguro, sin importar cuan pequeño sea, pero que el niño pueda estar a voluntad en ese lugar. Por supuesto, esto solo debe de estar abierto cuando el adulto pueda estar disponible para ver qué está haciendo el niño pequeño.

*Muebles y materiales*

Los muebles no tienen que ser caros; pueden ser tan simples o elegantes como cualquier otro mueble de la casa. Lo importante es que sean de un tamaño y calidad útiles para el niño. Son muy importantes las mesas y taburetes de madera maciza, que permiten que el niño se siente derecho con los pies apoyados en el piso para dibujar, jugar, arreglar y comer bocadillos durante el día. No solo desarrollará una buena postura, sino que también estará en mejores condiciones para concentrarse y enfocarse, pero sentado correcta.

A la gente le cuesta creerlo, ¡pero uno de los "juguetes" favoritos a esta edad es una cubeta o balde y una esponja!

Un taburete o banco bajo es muy útil junto a la puerta principal o en el baño, para sentarse y sacarse la ropa o los zapatos. Cuando el niño quiere reunirse con los padres para ayudar a cocinar en la mesada de la cocina, o para sacar agua del fregadero, un taburete con escalerita que sea seguro y resistente puede ayudar. Las sillas altas con bandeja para comer no son necesarias. Si hay una silla que se pueda adaptar para que el niño, de manera segura, pueda unirse a la mesa familiar para la comida, eso sería suficiente. Hay modelos de sillas que son adaptables a medida que el niño crece, donde pronto podrá subir y bajar él solo.

Los ganchos colgados a nivel del niño, o una barra de armario baja, permitirán que él mismo cuide mejor su ropa. La forma de disponer o mantener los libros son importantes en una comunidad infantil, siempre hay un pequeño rincón de libros con una almohada o una silla cómoda para acurrucarse y mirar libros.

Un espejo tiene muchos usos para bebés y niños.

Se usa un espejo para el nuevo bebé y más tarde para que un niño se mire a sí mismo, ver si su ropa está puesta correctamente o si su cara está limpia. De esa manera no tiene que depender de un adulto para informarle de estas cosas.

En lugar de tirar juguetes en cajas de juguetes grandes, es más satisfactorio para el niño, mantenerlos cuidadosamente en los estantes, colgados de ganchos, listos para trabajar en bandejas de madera o cestas pequeñas. Esto también hace que guardar sea mucho más lógico y agradable. El arte chino basado en la ocupación consciente y armónica del espacio, *Feng Shui*, enseña que el desorden, incluso escondido debajo de una cama o apilado en la parte superior de las estanterías, puede causar estrés. Apuntar a menos artículos, rotándolos si es necesario y colocarlos cuidadosamente, ayudará a lograr la calma.

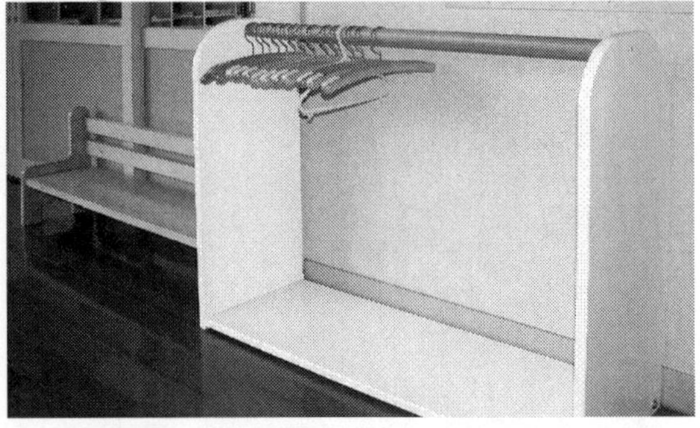

En este centro de capacitación Montessori en Japón, hay un banco para que el niño se siente, para ponerse o quitarse la ropa y los zapatos, también un lugar bajo para colgar los abrigos.

*Conclusión.*

Aprender a preparar el entorno antes del nacimiento, libera a los padres para dedicar tiempo a estar y disfrutar de su hijo después de que nazca. Un ambiente hermoso, organizado y despejado (sin excesos) puede ayudar de muchas maneras: se simplifica vestirse y desvestirse; el libro y el juguete favoritos siempre están al alcance; el niño puede participar en la vida de la familia y sentir que lo necesitan. El trabajo desafiante que enfoca la atención del niño y satisface sus necesidades siempre está disponible; se crea una vida más divertida, creativa y pacífica para toda la familia.

# EDAD 0-3:
## CRIANZA Y ENSEÑANZA

*Se necesita un pueblo para criar a un niño.*

—Proverbio Africano

Aunque los últimos capítulos estaban llenos de información sobre el ambiente no-humano, está claro que el elemento más importante de un ambiente, especialmente en los primeros tres años de vida, es el grupo de humanos: los hermanos, padres, abuelos, parientes, amigos y vecinos. Esto es ahora más que nunca importante en la historia; muy frecuentemente, las familias más pequeñas y sus miembros, son separados de su familia extendida a veces por miles de millas. A menudo, ambos padres necesitan trabajar y no tienen el tiempo para compartir con amigos y vecinos.

¿Como se convierte un infante o niño pequeño en un miembro empático y compasivo de la sociedad; alguien que sepa como ser con los demás, como contribuir con el bienestar del resto, como hablar y comunicarse con otras personas? Esto ocurre cuando el niño pasa tiempo en la presencia de buenos modelos, familiares y amigos, gente buena, personas que se preocupan por este niño pequeño.

Pero en el mundo moderno, cuando muchos de nosotros hemos crecido con poco o sin contacto con bebés, no sabemos cómo pasar tiempo con ellos. No sabemos cómo reconocer las fascinantes etapas del desarrollo, el enorme crecimiento mental, físico y emocional que atraviesa un niño en los primeros tres años de vida.

Hace muchos años, yo trabajaba como Asistente a la Infancia. Un día tuve una reunión con una madre y su infante que tenía dos semanas de nacido. La madre había sido una ejecutiva corporativa y era muy eficiente en hacer varias cosas de una vez. Cuando me conoció, ella me recibió diciendo: "¡He descubrierto que mientras estoy amamantando a mi bebé, puedo hablar por el celular, ver las noticias en la televisión o escucharlas por la radio, hasta puedo leer un libro!"

Rara vez se agradecce un asesoramiento cuando no ha sido solicitado, pero esta madre se había reunido conmigo para aprender sobre su bebé, así que fui capaz de explicarle que la relación entre ella y su bebé lactante, estaba creando en el cerebro del niño el patrón para todas sus futuras relaciones íntimas. Le pregunte como ella se sentiría si, mientras hacen el amor, su esposo habla por teléfono, mira televisión, escucha la radio o lee un libro. (Hoy podría incluir, "si se detuviera para responder un mensaje de texto o un correo electrónico, revisa las noticias en su computadora o echar un vistazo al Facebook.")

Esta madre era muy sabia y entendió lo que estaba diciendo inmediatamente. Antes de la explicación, ella pensó que solamente estaba dando leche a su bebé y que no habría problema en hacer varias cosas a la vez de forma eficiente. Fue como si se encendiera una luz y desde ese momento quizo saber todo sobre la infancia, porque se dio cuenta que cada etapa es fugaz y que su papel, junto con el de su esposo, eran muy importantes.

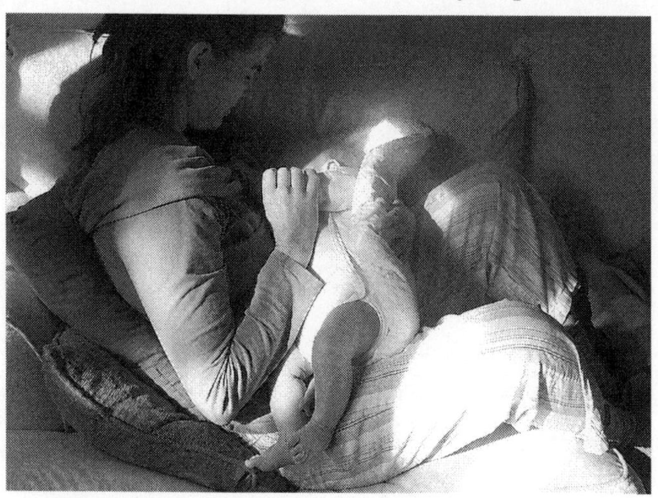

El tiempo que pasan juntos la mamá con el bebé en los primeros días y semanas, como cuando el bebé está lactando, es cuando se estable el patrón para las relaciones íntimas durante toda su vida.

Como una madre tiene estos preciosos momentos íntimos como lactar/alimentar al bebé, también así el padre puede establecer un ritual diario de bañarlo, cantarle o simplemente hablarle (siempre y cuando el celular y la radio estén apagados). Y esto puede ser explicado a un hermano mayor, ya que establecer una relación entre hermanos también es muy importante y entonces el hermano o hermana mayor se puedan sentir valiosos a medida que se tomen el tiempo diario para cantar o hablar con el bebé y gradualmente ayudar de otras maneras también.

Espero que este libro lo ayude a darse cuenta lo importante que es para el niño su presencia y la presencia de otras personas de la familia o grupo social. Espero que lo ayude a descubrir las maravillosas etapas de desarrollo por las cuales está pasando el bebé y cómo puede satisfacer las necesidades siempre cambiantes.

Con esta relación compasiva establecida desde el principio, será más fácil poder ir a pasos más lentos e igualar a la velocidad de su bebé, tanto para cocinar, hacer regalos, hacer repostería de fiestas (como las Navideñas), coser y tejer, jardinería, lavandería, arreglar y limpiar muebles, hacer arreglos florales, construer, limpiar y mucho más. De esta forma la vida es más rica y amorosa. El regalo más importante que podemos dar a nuestros niños es nuestra presencia ininterrumpida y nuestro tiempo. Estos tiempos construirán recuerdos, pero también enseñarán empatía y compasión.

Todos los padres hacen lo mejor que pueden con el conocimiento y las habilidades que tienen en ese momento. Sin importar cuanto tratamos de ser los padres perfectos, debemos aprender a no ser tan duros con nosotros mismos, a no desperdiciar el tiempo, deseando que y diciendo "si lo hubiese sabido", es mejor aprender a reír y tratar otra vez, compartir esta sabiduría con amigos y familiares.

Sin importar cuánto sapan los papás o cuánto tiempo dediquen, ellos no están solos al sentir que no es suficiente. El primer año de la vida del niño no es el momento más fácil para empezar a aprender lo que se necesita para ser padres y muchos de nosotros estamos mal preparados gracias a las películas, la televisión, los consejos de amigos con buenas intenciones pero inexpertos y la fallta de contacto con familias reales. No debemos ser muy duros con nosotros mismos mientras tratamos de balancear nuestras vidas ocupadas.

Los padres, que observan cuidadosamente, que escuchan y mientras lo hacen se imaginan a ellos mismos en el lugar de su niño, aprenderán que el niño es un individuo único, reflexivo y un individuo creativo, incluso antes de llegar a completar el primer año de edad. Esto es realmente uno de los más increíbles descubrimientos de la crianza de los hijos.

*Puedes darles tu amor, pero no tus pensamientos. Ellos tienen sus propios pensamientos.*

—Kahlil Gibran

***Un parto suave, apacible***

Un parto suave y apacible, es la primera consideración y aunque no es posible predecir lo que va a pasar al último minuto, es importante considerar los efectos del parto tanto para el infante como para la madre. En los inicios del programa de "Asistentes a la Infancia" en Italia, en el momento de nacer, los bebés eran acogidos en unas mantas de seda, por respeto a la sensibilidad de la piel del recién nacido. Hoy muchos reconocen que el mejor primer contacto es con su madre piel-a-piel. De hecho, a menudo, cuando un recién nacido es puesto sobre el cuerpo de la madre directamente después del nacimiento, el bebé se moverá y como por arte de magia, encontrará el seno de su madre, ¡como cuando un bebé marsupial, asciende de inmediato hacia las mamas que se encuentra dentro del marsupio de la mamá canguro!

Las clases de preparación para parto se enfocan en las técnicas de relajación utilizadas por las madres para relajar los músculos entre contracciones y contar con el apoyo del padre o pareja durante el proceso de parto, lo cual puede ayudar mucho a crear una experiencia de parto potenciada.

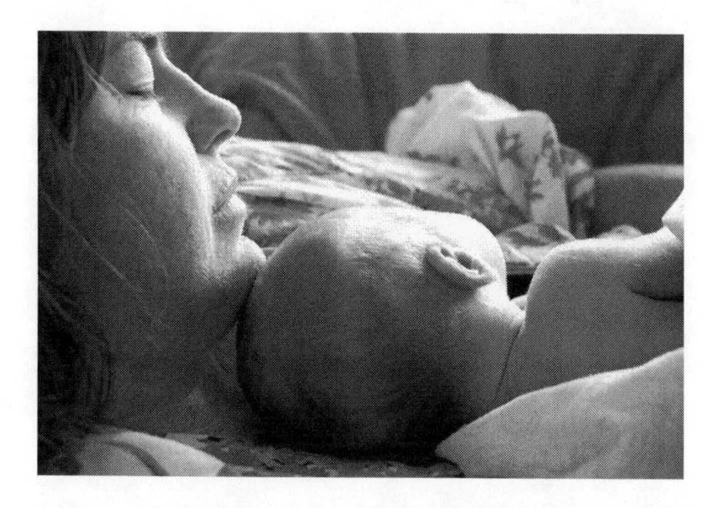

Hace unos años, visité el hospital Cristo Re en Roma, Italia para observar los nacimientos de niños cuyas madres habian sido entrenadas durante el embarazo para este tipo de relajación. Se conoce como Entrenamiento Autógeno Respiratorio (RAT o ART). Habían dos madres que estaban en las etapas finales del proceso de parto y para ambas era su primer niño. Las dos estaban descansando calmadamente y practicando su respiración entre las contracciones. Cuando una estaba con 10 centímetros de dilatación (¡listo!), ella dijo que estaba empezando a sentir un poco de dolor por la primera vez y preguntó si era normal. Esa es la medida en que ella pudo relajarse. La otra madre tuvo una experiencia similar. Yo ya había dado a luz a todos mis tres hijos hace tiempo y no pude evitar desear haber tenido esta experiencia al dar a luz. Estoy segura de que fue una experiencia más apacible para el bebé, la madre, el padre y todos los dmás presentes en estos nacimientos.

Estudiantes aprendiendo la técnica de relajación del parto durante un curso de entrenamiento de Asistentes a la Infancia.

Uno de los resultados más importantes de aprender una técnica de meditación o relajación para prepararse a dar a luz, practicandolo diariamente durante el embarazo, es que le da a uno una herramienta para refrescarse, recargarse, relajarse; a lo largo de los años de crianza de los hijos, esto será de gran ayuda.

***Gentil convivencia familiar en la vida diaria***

*La investigación ha demostrado que el alcance y la calidad de atención que la madre brinda al niño, están fuertemente condicionados por la forma en que pasan su tiempo juntos durante los primeros días después del nacimiento.*
—Silvana Montanaro

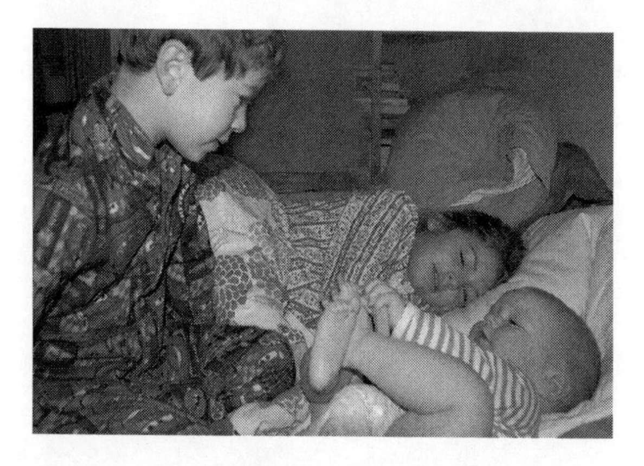

Este nuevo bebé está conociendo a sus primos, cuyas voces ha estado escuchado durante meses antes de nacer.

Durante los primeros días, semanas y meses de vida, el mundo del infante es su familia. Cuando una pareja se está preparando para tener su primer hijo, está a punto de asumir el papel más importantes que existe. Es extraño que se dedique mucho más tiempo y energía en prepararse para una carrera, construir una casa u otros esfuerzos de adultos, que prepararnos a ser un padre, aunque es un papel mucho más desafiante, importante y duradero. Es mejor comenzar a aprender lo que significa ser un buen padre, mucho antes de que nazca el bebé.

Cuando escuche sobre estas ideas Montessori de 0-3 años, naturalmente mi primera respuesta fue defender la manera de que yo crié a mis hijos; después de todo, yo me dije, "Todo salió bien con mis hijos".

Sin embargo, al ver los resultados increíbles cuando se usan estas ideas en muchas familias, he visto que de hecho hay una mejor manera de empezar la vida de estos niños y como muchos otros, me siento honrada de poder compartir esta información con otras personas.

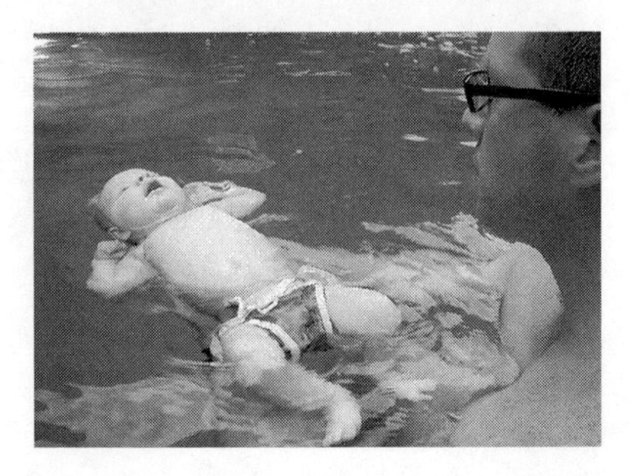

Nadar es una de las formas que este padre y su hijo pasan tiempo juntos regularmente.

Los primeros momentos de vida, los primeros minutos y horas, los primeros días y semanas, son los más impresionables para el infante y los padres. Este es el momento en que se despiertan los instintos básicos de la crianza de los hijos y comienza la unión de dos espíritus para siempre. Es el momento en que el niño desarrolla sentimientos de confianza en quienes lo rodean y un sentimiento de que nuestro mundo es un lugar feliz para permanecer.

El único elemento más importante en el ambiente del infante es la sabiduría amorosa del adulto. Nada material puede sustituir el tiempo y la atención durante estos tempranos meses y años. Pero decir "solamente sigue tu instinto" no es suficiente, porque estamos en un mundo moderno que ya eliminó muchas maneras en que podíamos estar en contacto con nuestros instintos; pero pueden ser despertadas mediante el estudio y la investigación combinados con la observación cuidadosa de los niños. Tocar, abrazar, tener contacto con la piel, reír y cantar son los más importantes, incluso en los primeros días de vida. Así es como el recién nacido y su familia desarrollan el amor y la confianza, la amistad y la felicidad como un grupo y llegan a conocerse el uno al otro.

Aun así, es necesario recordar que la naturaleza ha dado al infante un guía interna que le proporciona la sabiduría de cuándo dormir, despertarse, comer y moverse. Durante los meses prenatales, esta sabiduría ha funcionado exitosamente y ahora depende de los adultos ayudar al niño a mantenerse en contacto con sus propias necesidades de dormir, comer, hacer ejercicio y mucho más. Muchos de los problemas potenciales pueden prevenirse cuando la familia es cuidadosa mientras observa las necesidades del infante y no interrumpe el proceso de desarrollo, por querer incluirlo en nuestro horario de adultos tan pronto.

*Mucho de nuestro trabajo mental ocurre cuando estamos durmiendo y soñando. Todas las experiencias diarias deben integrarse y todos los 'programas' personales deben revisarse en base a la nueva información recibida durante el día.*

—Silvana Montanaro

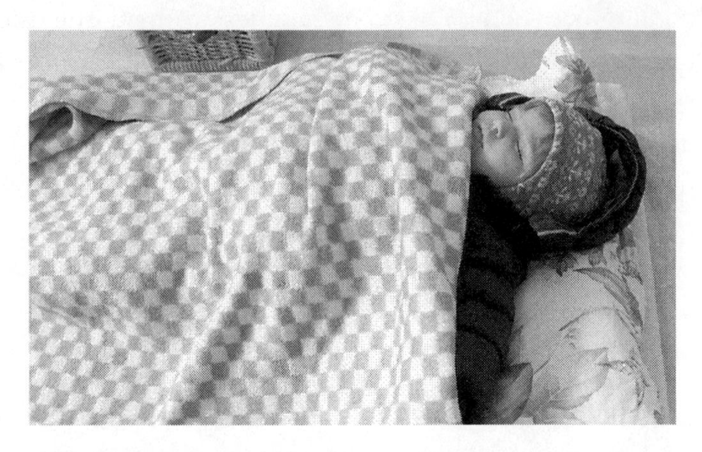

Este niño en una comunidad infantil en Rusia, se quedó dormido en su camino de regreso a casa después de ir al parque, pero quitarle la ropa que lleva puesta para salir afuera puede esperar hasta que se despierte.

Estos son algunos ejemplos de apoyo a la sabiduría interna del niño para satisfacer sus necesidades:

(1) Trate de no interrumpir el sueño o despertar un infante mientras duerme.

(2) Proporcione un lugar, un futón o edredón, en cada habitación o área de la casa donde la familia pasa tiempo juntos, para que el infante pueda naturalmente ir a dormirse, despertarse, moverse y observar la vida.

(3) Si es posible, lactar al niño cuando tenga hambre, vaciando completamente el seno y esperar hasta que el niño deje de succionar, sin interrupción ni deteniendo el proceso.

(4) Dele tiempo al bebé y a la madre para que estén juntos en privado mientras la madre da de mamar, sin ser interrumpidos por el celular, la televisión, la lectura o charlas con otras personas. Ésta relación durante la lactancia, es el modelo para todas las relaciones íntimas que el infant tendrá a lo largo de su vida. El niño no está solamente alimentándose, sino que también está aprendiendo sobre el amor.

(5) Observe, escuche, mire y contemple. Aprenda que está tratando de expresar con cada sonido, expresión facial y movimiento corporal. Contrario a la opinión popular, el infante no solamente "come y duerme." Aprenderá que su bebé le esta diciendo muchas cosas.

(6) Evite la lactancia por confort (para dormir o calmar un llanto) y los chupetes, que crean un énfasis excesivo en la gratificación oral. En vez, consuele al niño hablando, abrazando, cantando, jugando juntos. ¡Imagínese como se sentiría, como se vería si cada necesidad o deseo fueran satisfechos comiendo! Y evite, tanto como sea posible, usar regularmente la lactancia para poner a dormir al bebé; esto puede causar dificultades para que el bebé aprenda a dormirse solo.

Conocer las necesidades físicas, mentales y emocionales del recién nacido y cómo satisfacerlas, es el mejor regalo que podemos ofrecerle. Ser testigos del guía interno y la sabiduría del niño, para luego seguirle, nos enseña sobre nosotros mismos, sobre la vida, lo cual es su regalo para nosotros.

Este nuevo padre en Tailandia, está fascinado de ver a su pequeña hija, incluso mientras ella está durmiendo.

*Ropa y materiales*

Una de las piezas de materiales más encantadoras e importantes que ha venido directamente de Italia gracias al programa de Asistentes a la Infancia, es el topponcino.

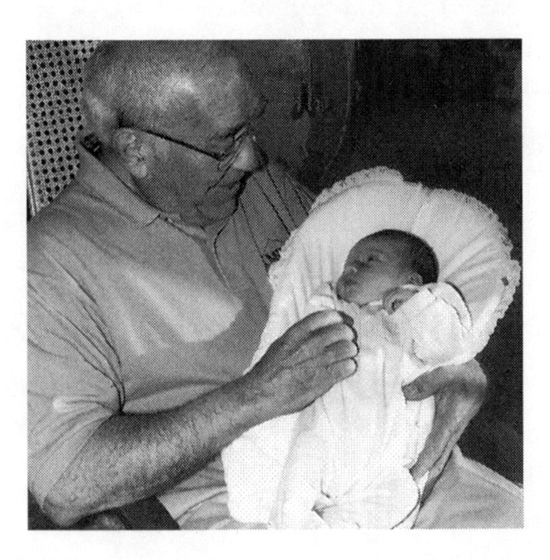

Un abuelo está relajado mientras sostiene a su nieto, gracias al "topponcino".

*"Topponcino"* significa almohada pequeña en italiano, de hecho es un colchón pequeño, de unos 68 cm de largo y 38 cm de ancho, relleno con guata de algodón orgánico, y cubierto con una suave tela también de algodón, de la mejor calidad disponible.

Ser sosteniendo en el topponcino desde el primer día de nacido y continuamente durante las primeras semanas de vida, le da al infante un sentimiento de seguridad y comodidad cuando lo levantan, bajan o cuando lo entregan de una persona a otra. Tiene el alivio del olor familiar de su topponcino sin importar quien lo sostenga o dónde esté, donde sus brazos y piernas se mantienen seguros y cómodos al lado de su cuerpo en lugar de agitarse en el aire. Es bueno tener al menos un topponcino y dos fundas de topponcino (como las de una almohada) para que una siempre esté limpia. Para que el topponcino se mantenga seco, se puede poner dentro de la funda un paño similar al que se utiliza para hecer eruptar a los bebés. Se encuentran en tela de algodón por un lado y al dorso trae una tela a prueba de agua.

Al igual que el algodón natural más fino y natural es utilizado para el topponcino del bebé, es importante utilizarlo para la cama, los tapetes de juego (colchoneta), la ropa, los pañales y todo lo que toca la sensible piel del recién nacido.

Si un niño demuestra miedo mientras lo vistes, es importante ir más lento y calmarlo, hablándole en una voz suave sobre lo que estás haciendo, en vez de cambiarlo de prisa. De esta forma, el niño aprenderá a confiar en que cambiarse de ropa es una experiencia segura y agradable.

Algunos bebés exploran sus caras con sus manos, incluso antes de su nacimiento y ciertamente lo más pronto posible después del nacimiento. Es mucho mejor mantener sus uñas cortas, permitiendo que continue ésta exploración, antes que cubrir sus manos y pies.

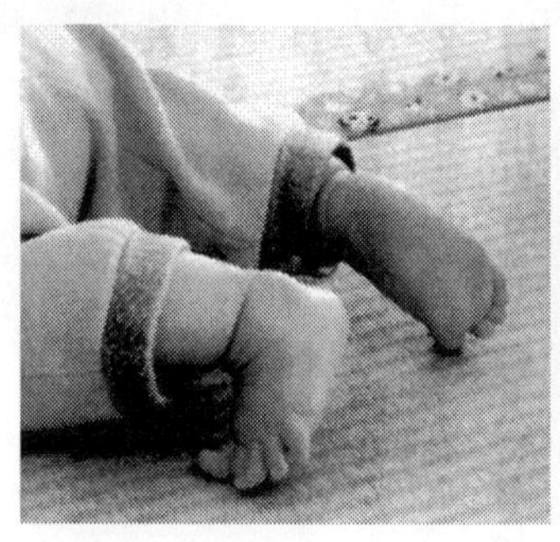

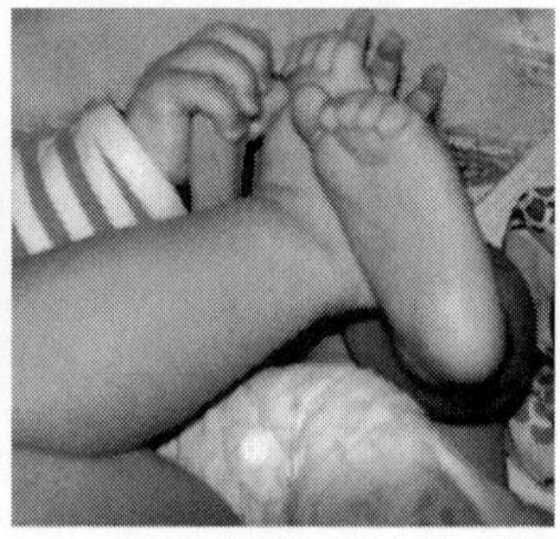

Los pies, así como las manos, deberían estar descubiertos si es posible, para que el bebé pueda explorar y para ayudar a que aprenda a gatear.

Tener los pies y las manos descubiertas permite que el niño explore los objetos que le son familiares o que son sus preferidos. También es importante tenerlos descubiertos cuando el bebé está aprendiendo las habilidades de voltearse, gatear, arrastrarse, levantarse, y caminar.

***Desarrollando confianza en el mundo***

Antes algunas personas pensaban que los bebés no estaban conscientes o que no tenían recuerdos de su vida temprana. Ahora sabemos que los recuerdos más fuertes, profundos y duraderos están formados durante este tiempo. Hoy en día, es de conocimiento público que durante los primeros meses, el niño desarrolla su actitud básica hacia el mundo. ¿Cómo podemos ayudar al niño a desarrollar la confianza desde el nacimiento?

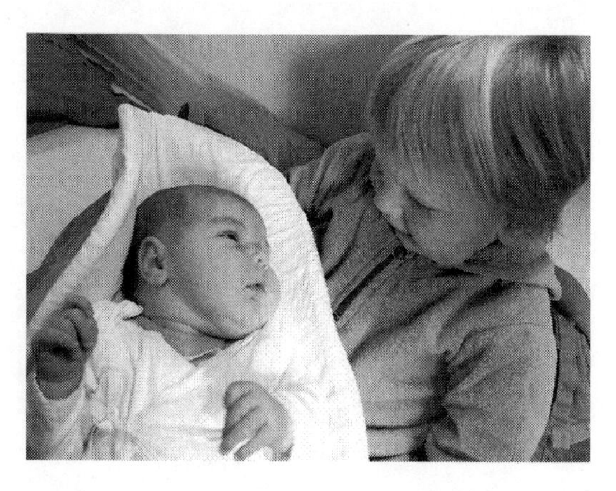

Sostener a su hermana pequeña en el topponcino ayuda a que su tiempo diario juntos sea seguro y relajado.

Durante los últimos meses en el útero, el infante ya se ha familiarizado con las voces de su familia inmediata y está acostumbrado al sonido del corazón de su madre. Después del nacimiento, éstas son las personas que debería conocer durante sus primeras semanas. Amigos y familiares comprensivos estarán felices de apoyar este primer tiempo en familia, cuando entiendan la importancia de esto. En las primeras semanas después del nacimiento, el niño se tranquiliza al escuchar las voces que escuchaba durante el embarazo y mientras lacta escucha el corazón de su madre. Ahora se hará más consciente de las voces familiares a medida que suenan fuera del útero, de los olores, el toque de su padre y sus hermanos. Estas experiencias crean seguridad en el niño. Con este tiempo de calidad, los miembros de la familia pueden aprender a escuchar los sonidos que hace el bebé, a verlo silenciosamente, observar sus expresiones faciales y movimientos corporales, ver qué es lo que el niño está tratando de comunicar. Este conocimiento íntimo le da al infante el mensaje que es apreciado y que el mundo es un lugar seguro.

Otra manera de darle confianza que el mundo es un buen lugar, es proporcionar ropa suave, luces tenues y sonidos silenciosos en los primeros días mientras el niño se acostumbra al mundo fuera del útero. El topponcino hace esto, y también la ropa suave, no muy floja y no muy apretada. Verifique que los broches no presionen el cuerpo del bebé. Algunas personas incluso tienen tanto cuidado que colocan al revés la ropa al niño para que las costuras no causen pliegues en la piel sensible del bebé. Con estas adiciones de manejo suave, el bebé adquiere una sensación de seguridad aún mayor.

Es un dato triste que, debido a la falta de entendimiento de la importancia del comienzo de la vida, trabajadores de guardería y otras personas que cuidan a los infantes en muchos países no son valorados en nuestra cultura como debería de ser. Son mal pagados y poco apreciados. Como resultado, la profesión de cuidado a los niños a menudo tiene una tasa de rotación muy alta. Los bebés en estas situaciones crean relaciones, son separados, se sienten rechazados y vuelven a crear relaciones con otra personas de nuevo... otra y otra vez. Piensen en lo que aprende el bebé sobre la confianza y la seguridad en esta situación. Idealmente, los padres hacen planes de quién cuidará al niño lo más pronto posible en el proceso de planificación familiar. Mientras más pensamientos, planificación, tiempo y energía ponemos en el cuidado de nuestros hijos en estos primeros días, semanas y meses, mejor base física y emocional, les estaremos ayudando a construir al niño.

Cantando con el abuelito

Con la ayuda amorosa y comprensiva de los adultos, los niños mayores y en un ambiente que satisface todas sus necesidades cambiantes, el niño aprenderá que es capaz y fuerte, que sus decisiones son sabias y que es una buena persona. Desarrollará tal confianza básica en el mundo, que lo puede ayudar a sobrellevar periodos difíciles durante el resto de su vida. Luego pasará esta confianza básica a sus hijos.

Alejados geográficamente de la familia y la sabiduría de sus abuelos, aislados de los vecinos, atormentados por anuncios glamorosos de productos "necesarios", muchas parejas necesitan ayuda para volver a la crianza sólida y saludable. Se han hecho grandes avances en la preparación de los padres para un parto más natural y alertándolos de la importancia de la lactancia materna, pero los padres necesitan mucha más información sobre las primeras horas, días, meses y años de la vida de un niño. Ahora es de conocimiento público, que los primeros tres años de vida tienen el mayor impacto en la vida entera de una persona, no solamente física, sino también emocional y psicológica.

Muchos padres trabajan y necesitan encontrar guarderías incluso en los primeros meses de la vida del niño. Abuelos, otros familiares, amigos, o profesionales en guarderías, tienen un papel muy importante. Es mi deseo que algun día sean apreciados por su papel crucial y por formar las mentes y los cuerpos de los niños. Espero que las ideas en este libro sean útiles para los niños, sus padres y los cuidadores primarios fuera de casa.

### *Un comienzo gentil y el papel del padre*

La Dra. Montessori escribe en el libro recientemente publicado Las Conferencias de Londres en 1946:

*Un día vi a un padre Japonés sacando a su hijo pequeño para pasear. Los Japoneses tienen una comprensión real de los niños pequeños. Llevan a sus hijos a todas partes con ellos. Este niño tenía unos dos años de edad aproximadamente y caminaba lentamente al lado de su padre quien también caminaba lentamente. En cierto momento, el niño se detuvo y agarró una de las piernas de su padre. El padre se quedó quieto, con sus pies separados. El niño se daba vueltas y vueltas alrededor de la pierna de su padre; el niño estaba serio y el padre también estaba serio. Cuando el niño se sintió satisfecho, el padre juntó sus pies y empezaron a caminar juntos otra vez. Luego de un rato, el niño se sentó en el borde de la acera y su padre lo esperó pacientemente. Cuando el niño se paró y siguió, el padre hizo lo mismo. Este padre no tenía conocimientos de psicologia; simplemente sacaba su hijo a pasear y esta era la forma natural de hacerlo para él.*

Sin embargo, en el mundo moderno, tendemos a apresurarnos para llegar a algún lugar, como el parque, la piscina, el patio de juegos para que el niño pueda jugar, cuando en realidad lo que necesita es nuestro tiempo y paciencia para permitirle explorar el mundo a su propia velocidad y bajo la dirección de su propia curiosidad.

Un paseo igualando el andar del niño y siguiendo sus intereses.

La seguridad física y una dieta saludable son esenciales para criar niños sanos. Pero igual de importante es la creación de un ambiente que proporcione tranquilidad y gentileza, amor y seguridad, que fomente el desarrollo físico, mental, emocional y social, una imagen positiva y alegre de sí mismo.

Un niño necesita más de un cuidador en su vida. Durante el embarazo, el padre, la abuela o quien sea que esté tomando el lugar del padre, puede estar allí para apoyar a la madre en las clases de preparación al parto, y durante el mismo parto.

Entonces, al igual que la madre ha creado un tiempo diario, íntimo y amoroso con el niño cuando da el seno, el padre o el segundo adulto en la familia puede también crear un tiempo especial para estar con el recién nacido todos los días, para desarrollar una relación sólida, planificando un tiempo diario especial para hablar, cantar, bailar o crear música, participar en el cuidado físico del niño - lo que sea agradable para ambos. El segundo adulto entonces estará creando una relación de amor y confianza.

"Como estuvo tu día Otosan?" (Otosan significa padre en Japonés.)

Para que el recién nacido pase tiempo con sus hermanos mayores, el padre también es la mejor persona para acompañar este espacio. Los niños recordarán el momento de la llegada del bebé, con recuerdos positivos de tiempo íntimo con su padre. Tambien puede ser él quien explique a los demás que quieran visita al bebé, la importancia de las primeras semanas para el recién nacido, en cuanto al desarrollo de la relación del infante con su familia inmediata. Muchas familiar que entienden de esto, hacen arreglos con sus amigos para que les traigan comidas para la familia durante este tiempo, ayudan haciendo mandados o proporcionando excursiones interesantes para los hermanos mayores. De esa manera, pueden contribuir y esperar a ser los primeros amigos en conocer al nuevo miembro de la familia cuando sea el momento adecuado.

Para apoyar a los adultos mientras conocen a su nuevo bebé y a medida que descubren los talentos únicos, las necesidades y los patrones de desarrollo del infante, recomendamos proporcionar que el recién nacido esté solo con la familia inmediata por dos semanas, antes de conocer a la comunidad en general. Cuanto más tiempo y amor hay mientras se conocen el uno al otro al comienzo de vida, lo más natural y feliz será la separación gradual de los adultos mientras el niño crezca en seguridad e independencia. Como sabemos, hay diferentes familias en el mundo. Lo importante no es con quien vive el niño, sino que el niño viva con alguien que se quede durante su vida.

A medida que los padres conocen a sus hijos a un nivel más profundo, también se conocen y entienden a sí mismos de una nueva manera. Para convertirse en unos buenos padres, uno debe aprender a equilibrar su vida personal, las relaciones familiares, las amistades y el trabajo. Mientras aprendemos a sacar lo mejor de nosotros, podemos descubrir diferentes maneras de sacar lo mejor de nuestros hijos.

A salvo en los brazos de mi hermana mayor.

*El sentido del orden*

En los primeros tres años de vida, los niños tienen un sentido del orden muy fuerte, tanto de lugar como de tiempo. Un infante puede enfadarse mucho por cosas que no notaríamos o pensaríamos que son molestas para él; por ejemplo, un niño que llora porque un paraguas, lo cual él ha visto cerrado muchas veces, se abrió por primera vez. Una vez escuche que un niño se enojó por el cambio de orden (de su rutina diaria) en el cual fue bañado después de la comida, cuando él ya se había acostumbrado a ser bañado antes de la comida.

El niño pequeño intenta constantemente dar sentido al mundo real, crear orden y crearse a sí mismo en relación a todo esto. Cuando el niño descubre dónde pertenece todo y cómo va el día, él desarrolla un sentido de seguridad.

En este pasillo hay una silla baja para quitarse y ponerse los zapatos y ganchos bajos para colgar los abrigos.

¡Esto no significa que la casa necesita estar en perfecto orden y limpieza! Esta es una prioridad baja cuando los padres están pensando en cosas más importantes porque, ¡hay un nuevo bebé! Pero sí significa que una rutina, no estricta pero gradualmente establecida, ayudaría a todos.

Al principio, no se apresure a moldear el horario de cuando el niño come y duerme para que coincida con el de la familia. El niño tiene sus propios ritmos naturales innatos y sabe cuando irse a dormir y cuando despertarse, cuando, que y cuánto comer. Si los padres pueden tomarse un tiempo al principio para observar al niño, aprender y respetar su guía interna, por ejemplo, tratando de evitar despertar al niño que duerme o evitar crear rituales elaborados para hacer que un niño se duerma en un momento específico, que se ajuste al horario del adulto, la vida gradualmente se convertirá en una rutina que funcione para todos de forma eficiente.

Para el horario de la comida, es importante permitir que el recién nacido pueda lactar hasta que él quiera detenerse y vaciar completamente un seno antes de cambiar al otro (hay razones nutricionales de porque se debe hacer esto), en lugar de forzar un horario de alimentación. En los primeros días, a medida que el cuerpo y producción de leche de la madre se están adaptando a las necesidades del niño, los tiempos de lactancia generalmente estarán muy juntos en tiempo, pero natural y gradualmente se adaptarán a dos o tres horas entre cada toma y luego incluso hasta periodos más largos.

"Hmmm, veo como masticas la zanahoria. Algún día yo también haré eso."

La madre aprenderá lo que el niño quiere comunicar con cada tipo de llanto (estoy mojado, estoy aburrido, ¿donde estas?, quiero escuchar mi voz, etc.) ¡ y no asumas que cada llanto es un llamado por comida! Siguiendo al niño es la mejor manera de lograr un horario de alimentación razonable, ya que puede crear una rutina de sueño saludable.

***El entorno cambiante***

El niño prospera cuando tiene conocimiento seguro de que el ambiente, los objetos y horarios, seguirán siendo los mismos. Pero al mismo tiempo, a medida que el niño crece y cambia, el ambiente debe de cambiar gradual y sutilmente, para reflejar sus necesidades cambiantes. Un niño crece constantemente en independencia y responsabilidad, los adultos deben lograr un equilibrio entre ofrecer ayuda y detenerse cuando el niño puede hacerlo por sí solo. Hay una frase que dijo la Dra. Montessori:

> *Toda ayuda innecesaria, es un obstáculo en el desarrollo del niño.*

Los padres que aprenden a observar a sus hijos, podrán decidir si un juguete o un trabajo, sigue siendo adecuado para su edad o si el mueble continua siendo del tamaño correcto para su hijo en crecimiento. Reconocerán cuando el niño estará listo para quitarse su ropa, cortar su propia comida, cada nuevo paso hacia la participación en la vida familiar.

Rallando el queso para ayudar con la comida

*Las necesidades del niño*

La siguiente es una lista de las necesidades del niño; esta lista se enfatiza en cada curso de entrenamiento Montessori y algunos dicen que debe ser pegado en un lugar donde el maestro pueda verla en todo momento. Cuando las necesidades no se satisfacen, algunos niños exhiben berrinches, enojos, tristezas, violencia excesiva o timidez, incapacidad de concentrarse y mucho más. Puede ser muy útil verificar esta lista para ver si las necesidades de un niño molesto o infeliz están siendo satisfechas:

Gregarismo (estando con los demás)

Exploración (física y mental)

Orden (en el tiempo y el espacio)

Comunicación (verbal y no-verbal)

Movimiento (de las manos y todo el cuerpo)

Trabajo (participando en trabajos familiares)

Repetición (en muchas actividades)

Concentración (ininterrumpida)

Exactitud (en trabajos difíciles)

Buscar la perfección/haciendo lo mejor (trabajo)

Imitación (buenos modelos de conducta)

Independencia (vistiendose, comiendo, etc.)

Auto-control (en vez de control de otros)

### *Modelando, poniendo limites y tiempo a solas*

El niño no solamente observa su alrededor; también se convierte en ello a los tres años. En el primer año el infante está absorbiendo el lenguaje, el tono de voz, las interacciones, la alegría y los intereses de la familia. Si quieres que tu niño diga "gracias" y "por favor" necesitas utilizar este lenguaje constantemente en su presencia desde su nacimiento. Los niños que son azotados/golpeados aprenden a utilizar el castigo físico para expresarse y los que son manejados con comprensión y paciencia se convertirán en personas comprensivas y pacientes.

En los primeros años, el niño nos estudia atentamente, incluso nuestros modales en la mesa y aprende a ser como nosotros.

Cuando se establece un límite, como no tocar la estufa o no correr a la calle, el padre debe físicamente y de forma gentil alejar al niño para que entienda que "No tocar" o "No correr a la calle" en realidad significa "No te acerques a ese objeto" o "Sal de la calle". De esa manera, el padre no tendrá que repetir, el niño no tendrá la oportunidad de desobedecer y se aprenderá la lección de hacer caso. Esto requiere consistencia absoluta de parte del adulto en el comienzo, pero vale la pena el esfuerzo.

Sería de ayuda un periodo de "tiempo a solas" para el niño, cuando nada más esté funcionando, pero donde debe asegurarse de tratar al niño como le gustaría que lo trataran. Por ejemplo, está en una fiesta con algunos amigos y se siente cansado y hambriento, ya no aguanta más y le dices algo grosero a su cóngyuge. ¿Cómo quiere que lo trate? Le gustaría que le grite "¡Sal de esta habitación de inmediato!" o tal vez "¡Dime que lo lamentas y que se sienta que lo dices de verdad!" o mejor aún, escuchar las palabras "¿Puedo hablarte en privado por un momento, por favor?" y luego "Algo debe de estar muy mal para que te enojes de esta manera. ¿Vamos a casa para que puedas descansar?"

Cuando un niño necesite tiempo a solas, ya debe haber visto a los adultos apreciando tiempo íntimo o tiempo a solas para recuperarse o de repente para descansar o trabajar. Entonces esta experiencia puede ser ofrecida al niño de la misma forma y no como un castigo, como muchas escuelas tradicionales lo hacen, donde se envía a un niño culpable a sentarse solo, sino más bien un tiempo privado que todos necesitamos algunas veces.

Me gustaría compartir una conversación entre mi hija y nuestra primera nieta cuando ella tenía 4 años:

Z: Mamá, necesito decirte algo.

N: Está bien.

Z: Cuando hago algo malo y me gritas, bueno, la verdad no me ayuda. Simplemente no lo hace, no me ayuda. Solo me enoja mucho. (Toma una pausa y continua) Así que lo que creo que deberias hacer es solamente decírmelo. Y sé muy, muy respetuosa.

N: Bueno, eso probablemente sea cierto. Pero generalmente cuando te grito es porque te estás portando muy mal, y no siempre me escuchas cuando estás así.

Z: . . . Bueno... Bueno, puedes al menos TRATAR de ser muy respetuosa UNA vez y si no funciona, me puedes gritar.

*Materiales educativos para edades de 0 a 3 años*

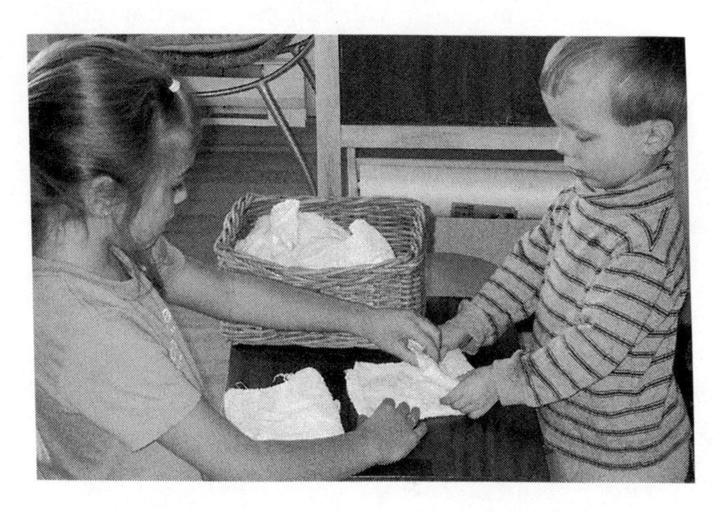

Una lección de cómo doblar las servilletas, impartida por un estudiante de primaria de Montessori que ayuda en una comunidad infantil.

Los periodos de concentración ininterrumpidos de juego o trabajo que involucran tanto el movimiento corporal como la intención mental hacia una meta, satisfacen las necesidades de orden, movimiento, trabajo, repetición, perfección, concentración, exactitud, imitación, independencia y el auto-control. ¡Bastante bueno para una sola actividad! Un ambiente amplio con materiales escogidos cuidadosamente, respaldan este desarrollo. Un ambiente abarrotado o caótico puede causar estrés. Los materiales naturales son siempre mucho más seguros, satisfactorios y agradables que los de plástico.

Los juguetes y materiales en la casa y en el colegio deben ser de la mejor calidad para invitar al niño a usarlos y para que el niño sea respetuoso a sí mismo, respetuoso y cuidadoso con el ambiente y fomentar así la apreciación de la belleza. Los maestros Montessori son muy cautelosos acerca de que nuevos inventos como andadores, columpios, ciertos portabebés, chupones, computadores y televisores, no utilicen a los niños como conejillos de indias. Estudios de investigación respalda los beneficios de esta actitud sobre el ambiente saludable al que el niño es expuesto.

> *En este periodo, más que en cualquier otro, es imperativo brindar atención constante. Si seguimos estas reglas, en vez de que el niño sea una carga, ¡se nos muestra como la más grande y considerada de las maravillas de la naturaleza!*
>
> *Nos encontramos confrontados por un ser que ya no se considera indefenso, como un vacío receptivo esperando a ser llenado con nuestra sabiduría; pero aquel cuya dignidad aumenta en la medida en que lo vemos como el constructor de nuestras propias mentes; un ser guiado por su maestro interior, que trabaja infatigablemente en alegría y felicidad - siguiendo un calendario preciso,*

*trabajando para construir la mayor maravilla del Universo, el ser humano.*

—Maria Montessori

Esta madre, en un mercado en las calles de Bután, está claramente tomando en serio la recomendación de su hijo para escoger las verduras.

Los niños a esta edad prefieren hacer trabajo real con sus familias, en lugar de jugar con juguetes, incluso si es solo una pequeña parte de la tarea, que se ajusta a la apretada agenda de los padres.

¿El lema del niño?

*¡Ayúdame a hacerlo por mi mismo!*

# APÉNDICE

## CÓMO ME DESTETÉ (LA PERSPECTIVA DE UNA NIÑA)

"Pasé de la lactancia materna del pecho al vaso, ¡sin biberón!"

A principios de los años noventa, Susan Stephenson y su amiga Natia Meehan, entusiasmadas por todo lo que estaban aprendiendo de la Dra. Silvana Montanaro y de Judi Orion durante el curso de Asistentes a la Infancia en Denver (Colorado), con el deseo de hallar un modo interesante de compartir este importante tema, decidieron presentar las ideas desde la perspectiva de una niña. Los textos siguientes son las palabras hipotéticas de Clare Meehan, la primera hija de Natia, durante la lactancia y el destete, en su primer año de vida. La información complementaria proviene de las charlas del curso de Asistentes a la Infancia desde el nacimiento hasta los tres años y de los padres de Clare.

Fuimos conscientes de que se trataba de una situación única. La madre es una Asistente Montessori a la Infancia cualificada. El padre había aprendido todo lo que pudo durante los catorce meses del curso Montessori de Natia y seguía aprendiendo. Es su primera hija, y la madre tiene la posibilidad de quedarse en casa a tiempo completo. Sin embargo, tal vez haya unas cuantas ideas que resulten útiles en otras situaciones, sobre todo a la hora de comprender cómo un proceso universal y natural como el destete puede servirse de las ideas de Montessori.

Existe el temor natural a que el destete se produzca demasiado pronto o demasiado tarde para el desarrollo saludable del niño. En una situación ideal, el niño no es destetado, sino que se le ofrece apoyo para desarrollar las habilidades necesarias en los momentos óptimos y permitir así que se destete solo. Descubrir estos momentos o «periodos sensibles», es el resultado de la observación de miles de niños durante muchos años, primero en Italia y después en el resto del mundo, por parte de los asistentes a la infancia de Montessori, cuyo propósito siempre es descubrir el momento óptimo para ofrecer una nueva experiencia al niño. Ofrecer y observar con atención para descubrir sus intereses y habilidades. Las fases del destete vienen determinadas por cada niño de manera individual, y no mediante un calendario externo impuesto por otros. No pretendemos que el niño se adapte al adulto o a un calendario social según ideas preconcebidas sobre cuándo «debería» aprender a comer y dejar de mamar. Los elementos —experiencia, herramientas y habilidades— que permiten que el niño se alimente se introducen en el momento adecuado, pero es el niño quien decide cuándo dejar de mamar.

Un sillón cómodo es un buen lugar para hablar y cantarle al bebé antes del nacimiento y para alimentarlo después.

**Clare**: *Desde el primer día, mi madre me dedicó toda su atención siempre que me daba el pecho. Yo estudiaba su rostro y ella me sonreía. Teníamos un sillón grande y cómodo en mi habitación para estar juntas.*

### *LOS PRIMEROS DOS MESES:*

Durante la lactancia, el niño recibe satisfacción emocional cuando su madre le ofrece contacto visual en cada toma: sin teléfono, sin libro y sin conversaciones con otras personas que la distraigan de este importante momento con su hijo. Esta experiencia social y emocional puede proporcionar una base sólida para las futuras relaciones del niño a lo largo de su vida.

Desde el principio, ayudaremos al niño a comprender que el seno (la comida) NO es la respuesta para todos los problemas. Si un niño llora o parece incómodo o triste, escucharemos y observaremos para identificar el problema y así ver si ella (en este caso **Clare**) lo está resolviendo por sí misma o si ella necesita nuestra ayuda. A veces un niño que llora sólo necesita oír una voz o recibir una caricia. Podemos comprobar si ella está mojada o si se encuentra sobre alguna arruga incómoda. Puede ser que ella quiera un ligero cambio de posición, que la tapen o que la destapen. Puede ser que ella esté sobreestimulada por sonidos o imágenes, o aburrida por la ausencia de dichos estímulos. A veces, tan sólo está pensando en algo que le enfada o le preocupa y ella solo necesita expresar lo que siente. Debemos respetar el hecho de que ella puede resolver algunos problemas por sí misma. La tomaremos en brazos y la abrazaremos a menudo, después de asegurarnos de que no esté ocupada con otra cosa, mirando o escuchando algo, antes de tomarla en brazos.

Al niño se le debe dar el pecho cuando tiene hambre, y se le debe tomar en brazos y abrazar cuando quiere consuelo; no debemos confundir ambas necesidades.

**Clare**: *Durante los primeros dos meses, me amamantaron de forma exclusiva. Durante el tercer mes, mis padres me* *proporcionaron la nueva y emocionante experiencia de una cuchara demitasse (que es incluso más pequeña que una cuchara de té) y los sorbitos (comenzando con una gota) de zumo de fruta o vegetal. Esto lo hicieron todos los días más o menos a la misma hora porque sabían que yo esperaba ansiosa esa nueva experiencia diaria.*

***EL TERCER MES:***

Introducimos la experiencia de la cucharita y los sabores del zumo de fruta fresca local, orgánica y de temporada. El propósito no es comenzar el destete, sino aportar las nuevas experiencias de la cuchara y los sabores cuando los niños muestran mayor interés.

Le acercaremos la cuchara a los labios con suavidad sin metérsela en la boca, sólo ofreciéndosela. Al principio, proporcionaremos esta nueva experiencia una vez al día, luego dos veces, siempre y cuando el niño esté despierto, alrededor de una hora antes de la toma al pecho. Estas primeras cucharaditas las puede ofrecer el padre o la madre y deberían ser todos los días a la misma hora, más o menos, para respetar el sentido del orden del niño.

Con el niño en brazos —mientras el adulto y el niño se miran—, le acercaremos una cucharadita de zumo a los labios. Si abre la boca, dejaremos que caiga una pequeña cantidad de zumo sobre la lengua para que lo saboree. Nunca forzaremos a que la cucharita entre en la boca y respetaremos el derecho del niño a rechazar la comida. Es posible que la primera vez el niño haga alguna mueca, ya que el zumo es muy distinto de la leche y menos dulce que esta, pero por lo general lo aceptará al segundo o tercer día. No comience con cítricos, sino con frutas como manzana o pera, y al menos por diez días para verificar si el niño no tiene alguna reacción alergica.

**Clare**: *Cuando tenía alrededor de cuatro meses y medio, mis padres añadieron los sabores de otros alimentos, en pequeñísimas cantidades, a mi ritual de «degustación de zumos». Algunos estaban buenos y otros no, pero ellos respetaron mis preferencias.*

### *EL CUARTO Y EL QUINTO MES:*

Además del pecho y de las pequeñas cantidades diarias de zumo, se le pueden ofrecer una o dos cucharaditas de yema de huevo aplastada (de gallinas criadas en libertad) después de la toma del pecho, tal vez a la primera hora de la tarde, cuando la cantidad de leche materna es menor. También se puede introducir el pescado hervido para alternarlo con el huevo.

Sólo hay que ofrecerle la comida y estar preparado para darle las sobras al perro si el bebé no muestra interés.

**Clare**: *Cuando fui capaz de sentarme y de utilizar las manos, mis padres me dieron un poco de pan especial. Como yo tenía mucho interés en agarrar objetos para llevármelos a la boca, eso fue un gran placer.*

***EL QUINTO Y EL SEXTO MES:***

Se le pueden ofrecer trozos de pan de hace dos o tres días —para que no se desmenucen con facilidad— cortados de manera que el niño pueda sujetarlos y metérselos en la boca, o algún pan especial para bebés que no se deshaga. Se le puede dar justo después del pecho, cuando el niño esté en una posición cómoda, casi sentado con la ayuda de almohadas (esto es mejor que en brazos, ya que así el niño tiene las manos completamente libres). También podemos añadir un poco de aceite de oliva o de zumo de tomate al pan (recordemos que estamos hablando de Italia; pueden adaptar estas pautas a su propia cultura y país). Este tipo de pan le proporcionará al niño la experiencia de comer solo, a su ritmo, y de tragar pequeños trozos de comida sólida.

Parece ser que alrededor del quinto o sexto mes comienza el proceso gradual en el cual un niño se prepara para destetarse por sí mismo de manera natural sin tener que ser destetado por nadie. Estas son las señales que nos indican que la niña (Clare) está lista para destetarse sola:

—Comienzan a salir los dientes.

—Empieza a sentarse en el regazo de los padres mientras juega y a veces es capaz de mantener dicha posición por sí misma.

—La reserva prenatal de hierro comienza a agotarse.

—Se producen nuevas enzimas digestivas.

—En esta época muchos niños pierden el interés por mamar.

**Clare**: *En un momento dado, durante mi sexto mes de vida, mis padres trajeron a casa una sillita y una mesa, las dos muy bonitas para que aprendiera a usarlas y allí alimentarme por mi misma. Me frustraba ver que a mi alrededor todas las personas se sentaban a la mesa y usaban tenedores, cucharas y vasos, y yo quería hacer lo mismo. A causa de esta frustración, a veces estaba triste a la hora de la comida. Mis padres pusieron la mesa con un bonito mantel, platos de porcelana y vasos de cristal. Incluso había un pequeño jarrón con una flor y una jarrita con la que me llenaban el vaso (mis padres lo llamaban «vaso de chupito»). Me sentí muy honrada.*

***LA PRIMERA COMIDA:***

*Edad*: Entre el quinto y el sexto mes, cuando el niño decida que es el mejor momento.

*Hora del día*: Esta comida sustituirá una de las tomas de pecho habituales. Escoja una hora del día que suela ser tranquila para los padres y para el niño, ya sea por la mañana, tarde o por la noche.

*Posición del niño*: En esta fase, el niño no suele ser capaz de sentarse solo. Salvo escasas excepciones, no somos partidarias de colocar a los bebés en posiciones que no puedan adoptar por sí mismos (por ejemplo, en andadores, columpios, etc.), ya que sería irrespetuoso con el desarrollo de sus habilidades. Sin embargo, es preferible que durante este periodo tan corto permanezca sentado en una silla y no en el regazo de sus padres (como es habitual), porque así tendrá libres las manos, los brazos y el resto del cuerpo de cintura para arriba—y no sólo uno de los lados— para poder experimentar.

*Materiales*: Una mesa y una silla pequeñas maciza. Al principio, si el niño lo necesita, unas almohadas o unas toallas enrolladas que le sirvan de sujeción para evitar que se resbale. Procure que el espacio sea tan acogedor y seguro como el regazo de sus padres. Una servilleta de tela y un babero a juego con el mantel. Si el babero se ajusta con un velcro lateral, el niño acabará por aprender a colocárselo solo, que es lo ideal. Un mantel de tamaño infantil. Un tazón pequeño que no sea de plástico (metálico o de cerámica). Una cuchara pequeña. Muy pronto necesitará dos cucharas pequeñas y después dos tenedores pequeños. Estas cucharas son más grandes que las cucharas de destete. Teniendo en cuenta el sentido del orden del niño, necesitará varias por si las pierde. Un vaso que pese (sirve uno de chupito). Una jarra pequeña. Un taburete para que el padre o la madre se siente.

*Posición del adulto*: La madre o el padre se sientan en un taburete frente al niño a un lado de la mesita —lo suficiente cerca para garantizar la seguridad del niño y lo bastante lejos para que él sea consciente y se sienta orgulloso de su nueva habilidad. La comida debería ser una experiencia relajada y agradable para ambos. Siente al niño en la silla de destete, delante de la mesita y del manto. La primera vez, dependiendo del niño, puede que el babero y la servilleta no se usen.

*Independencia*

Ofrézcale pequeñas cantidades de comida colocándole la cuchara delante de la boca, pero sin tocarle. Espere a que el niño abra la boca y nunca insista en que tome una determinada cantidad de alimento. El niño puede sostener la cuchara agarrando la mano del padre o la madre (al principio nunca solo), lo cual le proporcionará la experiencia de lo que se siente al lleva la comida a su boca. Al principio, mantenga el tazón fuera de su alcance. Por lo general esta recomendación se limita a la primera vez, aunque depende del niño.

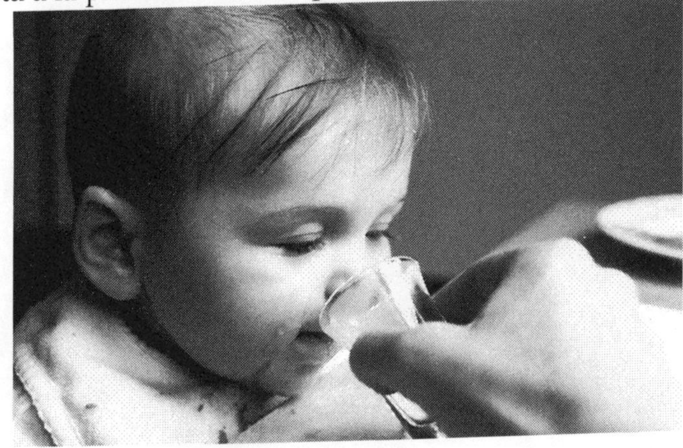

*Puntos esenciales*:

(1) Limítese a ofrecer esta experiencia. Si el niño no está interesado esta vez, límpielo todo y espere con paciencia varios días antes de volver a intentarlo.

(2) Si se cansa antes de estar saciado, complete la comida con la lactancia materna. En unos cuantos días será capaz de comer más cantidad sin dificultad. Poco a poco procuraremos que la comida sea más sólida.

**Clare**: *Con el segundo bocado, agarré la mano de mi madre. Pensé que podría hacerlo sola, pero ella insistió en ayudarme con suavidad para que la comida, y no solo la cuchara, llegara hasta mi boca. Luego me ofreció un poco de agua en mi vasito. ¡Fue emocionante! Grité para pedir más comida y ella me la dio. Es probable que comiera mucho más de lo que necesitaba, pero mi madre fue precavida y puso cantidades pequeñas en cada cucharada.*

*Otros detalles:*

(1) Al cabo de un tiempo, un niño puede sujetar una cuchara mientras el padre o la madre utilizan otra, hasta que sea solo el niño quien la use en forma exclusiva.

(2) A veces el niño puede usar el vaso desde la primera comida. Sírvale un poco de agua con una jarrita y acérquele el vaso a la boca para que beba (con la ayuda del niño, si él lo desea). Poco a poco aprenderá a sostener el vaso y al final también será capaz de servirse el agua de la jarrita.

(3) Los vasitos para bebés (tazas con tapa, que impiden que se derrame el líquido) y los biberones no enseñan a beber bien, ya que aportan una experiencia incorrecta de cómo fluyen los líquidos. Tras usarlos, el niño tiene que volver a aprender a beber sin derramar nada. En contadas circunstancias, donde la madre debe

de dejar de amamantar al niño por motivos médicos o debido a que debe regresar al trabajo, el niño puede pasar del pecho a un vaso pequeño durante el primer año, sin necesidad de usar biberones.

*Agua:*

Cuando el niño comienza a comer alimentos sólidos, es muy importante ofrecerle agua para evitar el estreñimiento. El agua se le ofrecerá durante y al final de las comidas, a partir de este momento estará siempre a su alcance. Cuando el niño comience a andar, deberá tener siempre disponibles una jarra y un vaso hasta que sea capaz de llegar al grifo para usarlo sin ayuda.

*Alimentos sugeridos:*

En todos los países nos adaptamos a lo que come la familia, tal vez con cereales en caldo de verduras primero o con algo de proteínas, y con algún puré de frutas de postre (en un tazón limpio, como es obvio). En Italia o en EE. UU., un primer plato puede consistir en un cuarto de vaso de harina de arroz integral o de sémola de trigo fina hervida en tres cuartos de vaso de caldo de verdura, con una pizca de aceite de oliva y queso parmesano (o con un poco de pescado, hígado o la mitad de un huevo), seguido de cualquier fruta orgánica de temporada.

**Clare:** *Durante el día, me quedaba en casa con mi madre, así que todas las mañanas ella ponía una mesa muy bonita y se sentaba conmigo en un taburete bajo mientras yo comía. Con ocho meses, ya comía sola y bebía del vaso sin ayuda. En esa* *época, empecé a sentarme junto a mi mesita para cenar antes que mis padres. Mi padre solía estar en casa a esa hora y se sentaba conmigo. A veces, los dos me acompañaban durante la cena.*

*Más tarde, empecé a usar una silla más alta junto a la mesa de los adultos para estar con ellos durante algunas comidas. Allí, mordisqueaba un poco de pan y los observaba comer diferentes alimentos. Me encantaba morder trocitos de melón. Ellos hablaban conmigo mientras comían y me contaban su día. A veces, me aburría y quería bajar. Entonces jugaba sobre una manta en el suelo cerca de ellos mientras terminaban de comer.*

***EL SEXTO Y EL SÉPTIMO MES:***

En este periodo, podemos ofrecer una comida sólida adicional a cambio de una de las tomas de pecho. Podemos aplastar trocitos de verdura, previamente hervida en el caldo de la comida. También podemos ofrecer trocitos de pescado.

*EL SÉPTIMO Y EL OCTAVO MES:*

Además de las dos comidas sólidas, un yogur con puré de fruta más galletas pueden sustituir otra de las tomas de pecho. Arroz, pastas pequeñas, frijoles, lentejas y diversas frutas y verduras —mejor si son productos locales, orgánicas y de temporada— pueden formar parte del menú. Es posible que en esta fase el niño utilice también el tenedor. Asegúrese siempre de que pueda manejar los alimentos con sus cubiertos y de que sea capaz de agarrar con las manos los trozos de pan.

*Notas*:

(1) Nunca insista con la comida que el niño no quiere. Confíe en el instinto del niño.

(2) Coloque poca cantidad de comida y pocos alimentos diferentes en el tazón o en el plato y añada más en caso necesario.

(3) El destete indican el inicio de una nueva etapa de desarrollo, ya que el niño deja de ser dependiente de la madre para comer, y su relación con el entorno cambia. Con este método de destete, la atención se centra en la autoimagen del niño, en su actitud hacia los alimentos y las comidas, así como su nutrición.

**Clare**: *Durante el decimoprimer mes, dejé de mamar. Mi madre nunca se negó a amamantarme, pero como mis padres, mis abuelos, otros amigos y parientes me tomaban en brazos y* *me apapachaban, no necesitaba tomar el pecho para que me hicieran mimos. ¡Comer sola fue muy divertido y delicioso!*

***DEL DÉCIMO AL DECIMOSEGUNDO MES:***

El niño ya comerá prácticamente lo mismo que el resto de la familia durante las tres comidas diarias. A veces comerá en su mesita y otras veces en la mesa familiar. Si los padres fomentan este tipo de independencia, se destetará por completo en el momento idóneo para él.

*Comer con la familia*: Al principio del proceso de destete, el niño debe comer a una hora distinta del resto de la familia. Resulta muy estresante hacerlo todos a la vez, ya que el niño necesitará la atención de los padres y su ayuda durante algún tiempo. Sin embargo, el niño debería estar presente durante la comida de los adultos, siempre que esté interesado en ello, con un plato y un trozo de pan para mordisquear. Aunque ya haya comido, se unirá a la conversación familiar y aprenderá acerca del proceso de comer juntos, de los modales en la mesa, etc.

**Clair:** *Con quince meses, aprendí a poner mi propia mesa antes de algunas comidas y meriendas. En la cocina había una bandejita con una jarra y un vasito para que yo me sirviera agua cuando quisiera durante el día. Tengo una silla «alta» estupenda a la que trepo para sentarme junto a la mesa grande, que es donde como la mayoría de las veces. Sé usar la cuchara y el tenedor, e incluso me sirvo yo misma la comida de las fuentes. Todavía derramo a veces el agua y se me cae la comida, pero cada vez ayudo más a mis padres a limpiar cuando acabamos de comer.*

*La silla alta:*

No se trata de la típica trona en la que el adulto debe meter al niño y sacarlo de ella. No debemos olvidar la fuerte necesidad de independencia del niño. Por tanto, en cuanto el niño sepa caminar y trepar, utilizaremos una silla en la que se siente solo y de la que pueda bajarse sin ayuda.

*La mesa y la silla de trabajo*:

Durante estos meses, el niño puede utilizar la mesa y la silla de destete también como espacio de trabajo. Lo ideal, si es posible, sería tener una mesa y una silla para comer y otra mesa con otra silla para trabajar en un lugar diferente de la casa. Deberían ser de madera natural, con un acabado o pintura de color claro, que el niño pueda limpiar con facilidad. Dimensiones recomendadas: altura del asiento, 15-20 cm; altura de la mesa, 30-35 cm.

*Biberones y chupetes*:

Como ya habrán notado, en ningún momento del proceso de destete se ha recomendado el uso de biberones o chupetes. A veces se nos olvida que el ser humano ha vivido sin ellos durante mucho tiempo. En ocasiones ambos podrían ser necesarios, cuando la madre no puede amamantar, por ejemplo, o cuando debe regresar al trabajo antes de que el niño haya aprendido a comer con cuchara y a beber del vaso, pero esos casos son la excepción y no la regla.

Si debemos usar algo para aliviar las encías o para que el niño succione, lo ideal es que se trate de algún objeto que el adulto sostendrá para que no se convierta en un elemento permanente. A la hora de decidir si el chupete es necesario, no olvide las implicaciones de un niño acostumbrado a la gratificación oral y las consecuencias que eso puede acarrear más tarde en su vida, además de los posibles efectos en el desarrollo del lenguaje, en la interacción social, en los dientes y en la mandíbula.

Un «buen» chupete que no se queda en la boca

**Clare**: *Me encanta ser capaz de hacer las cosas que hacen las demás personas a mi alrededor. Me siento importante cuando barro, lavo, pongo la mesa, doblo las servilletas, arreglo las flores para la comida y hago todas las demás tareas que estoy aprendiendo.*

«Cuando aprendo a servirme el agua y la comida, puedo tomar las cantidades adecuadas para mí».

*Nota de los padres de Clare:*

*Aconsejamos que no cometan el mismo error que nosotros, «amamantar a Clare para que duerma» por la noche. En el útero, nuestra hija adquirió mucha práctica para despertarse y dormirse según sus necesidades mentales y físicas. Al «enseñarle» a mamar para dormirse, se volvió dependiente y perdió el contacto con su habilidad natural para dormir cuando estaba cansada.*

*Tuvimos mucho cuidado de no repetirlo lo mismo con su hermanito, al que siempre que podíamos dejábamos tumbado después de mamar, antes de que se durmiera. Descubrimos que era injusto enseñar al niño a depender de cualquier ritual antes de dormir: caricias, paseos, tomarlo en brazos, acostarlo en nuestra cama..., porque cuando no podíamos proporcionar dicho ritual, cuando nos cansábamos o cuando no estábamos en casa, ¡Clare era incapaz de hacer algo tan simple como dormirse sin nosotros! No era justo. En consecuencia, su hermano se duerme feliz cuando siente la necesidad.*

*Un buen apego, es la mejor preparación para un buen desapego.*

—Dra. Silvana Montanaro

# Una Comparación de la Asistente Montessori a la Infancia en la Práctica y Tradiciones de Vida en Bután desde el Nacimientos a Los Tres Años

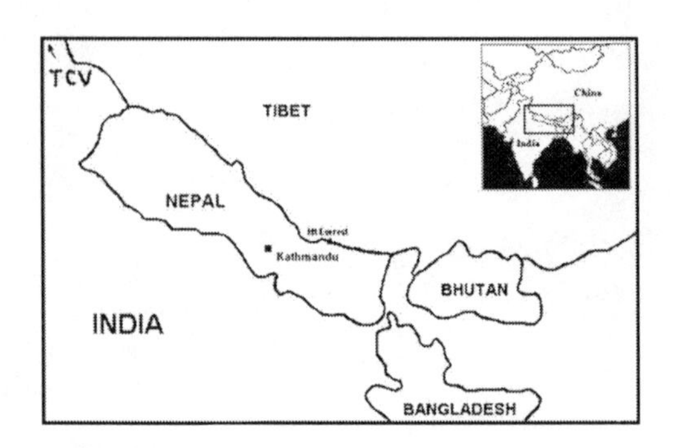


Una versión de este artículo se publicó en la revista *Infants and Toddlers*, y en las versiones 2012 / 1-2 de *Communications, Journal of the Association Montessori Internationale.*

***Introducción***

Bután, oficialmente el Reino de Bután o Druk Yul (dragón del trueno) es un país sin litoral ubicado en el extremo oriental de las montañas del Himalaya. Limita al norte con el Tíbet (China), y al oeste, sur y este con la India.

En el 2006, 2008 y 2010, como invitada del gobierno y amigos de Bután, en la preparación para la educación en Montessori en Bután, investigué la vida y cultura familiar. Este artículo destaca algunas de las similitudes y diferencias entre las prácticas tradicionales en Bután y las prácticas Montessori del Asistente a la Infancia.

Resa Lhadon, a quien visité a los 8 meses, a los 20 meses y a los 2.5 años, nos proporcionará ejemplos. Ella vive en una granja familiar tradicional en el Valle de Paro con sus padres, su hermana y, a veces, abuelos y otros miembros de la familia extendida.

El rey Jigme Khesar Namgyel Wangchuck de Bután, mirando a los niños de la escuela Montessori en Paro bailando en su cumpleaños.

Durante 100 años, un rey que ha liderado Bután, considera que GNH (por sus siglas en inglés) la Felicidad Nacional Bruta, es la medida más importante del éxito de la nación, en vez del PNB el Producto Nacional Bruto. En todos los lugares donde se viaja en este país, las influencias budistas son obvias: protección del medio ambiente, adoración, generosidad y amabilidad mutua. Cada día comienza con una oración por la felicidad de todos los seres. Todos los productos se cultivan orgánicamente, no porque se trate de un nuevo movimiento popular, sino porque está en contra de la religión matar, incluso matar insectos.

En el pasado, había cuatro reinos budistas tibetanos donde se podía observar una cultura como esta: Tíbet, Sikkim, Ladakh y Bután. Hoy, Bután es el único que no ha sido conquistado por otro país. Esta es una de las razones por las que estoy interesada no solo en presentar lo mejor de Montessori, sino en ser instrumento para preservar la preciosa cultura existente.

Bután, como Nepal, solo ha estado abierto al Occidente desde la década de 1960. Antes de ese momento, ni siquiera había carreteras dentro y fuera del país, ni escuelas, excepto en los monasterios, y ningún sistema postal. Bután es la mitad del tamaño de Indiana, y debido a los buenos consejos, los butaneses están haciendo un muy buen trabajo al proteger a este pequeño país de los estragos del desarrollo no planificado y el turismo que ha destruido gran parte de Nepal.

En las siguientes páginas verá algunos temas relacionados con el desarrollo infantil en los primeros tres años de vida. Debajo de cada tema, habrá información de los *Asistente Montessori a la Infancia*, Bután, o ambos.

*Las piernas psicologicas*

**Asistentes a la Infancia**

Una saludable base emocional, en el primer año de infancia, puede sostener a una persona para toda la vida. El niño se vuelve una persona íntegra, cuando se para sobre sus piernas psicológicas fuertes.

*La Primera Pierna - El Mundo como un lugar seguro:* La primera pierna tiene que ver con la visión del mundo, sus sentimientos de seguridad como miembro de una familia y como miembro de una cultura. Es una actitud de que el mundo es un lugar buen y seguro. La forma en que brindamos este apoyo al niño es cuidándolo durante el embarazo, el parto, los primeros días y semanas de vida. Esto se logra brindando una fuerte experiencia de vinculación familiar, respondiendo rápida y suavemente a sus solicitudes de cuidado y alimentación, y con manejo y habla gentil.

*La Segunda Pierna - Autoestima y Amor propio:* La segunda pierna es una actitud hacia uno mismo; es la capacidad de amarse tal como es, sin tener que cambiar o mejorar para merecer el amor. Se fomenta una actitud saludable de autoestima respetando los instintos naturales del niño de cuándo, cuánto comer y dormir. Esto se fomenta a través del respeto por el horario individual de cada niño para aprender a hablar y caminar. Significa que no apuramos a un niño, en su lugar, creamos un entorno que proporciona las herramientas, como un colchón en el piso en el que el niño puede subir y bajar solo, y una barra, taburete o carro especial que puede usar en cualquier momento para practicar levantarse o para caminar. Esta pierna se desarrolla en el primer año de vida. Estoy segura de que todos conocemos adultos que están tratando de reconstruir estas actitudes de confianza y amor propio en sí mismos. Está claro que los bebés nacen con ellos, depende de nosotros crear un ambiente que los proteja desde el nacimiento.

**Bután**

Resa con su padre

Verá a través de las siguientes páginas que las tradiciones en Bhután contribuyen en gran medida a apoyar ambas piernas psicológicas. Ella pasa el día con uno de sus padres, abuelos u otros miembros de la familia extensa, viendo cómo la vida pasa cerca de ella. Ella es libre, explora el mundo de acuerdo con sus habilidades de movimiento en desarrollo.

*Meses prenatales y nacimiento*

**Asistentes a la Infancia**

El curso A a I comienza con el estudio de la concepción y el embarazo, para hacernos conscientes del hecho de que aquí es donde comienza la vida de un niño. Un parto suave se considera óptimo. Durante el curso de formación de A a I, algunos alumnos toman el entrenamiento adicional de "Entrenamiento autógeno respiratorio" (conocido por sus siglas en ingles como entrenamiento RAT o ART). Esto se ha utilizado durante años en Europa para enseñar a una madre cómo relajarse por completo entre las contracciones durante el parto. Esto ayuda a crear un parto más fácil y rápido, que es mejor y más seguro para la madre y el bebé. Todos los estudiantes en el curso de Denver Montessori A a I, por ejemplo, lo practican diariamente durante los dos veranos. Algunas toman más capacitación y aprenden a enseñar esta habilidad a mujeres o parejas durante el embarazo. Observé dos de esos nacimientos en Roma durante mi entrenamiento y me sorprendió la facilidad de la experiencia del parto de dos primiparas (mujeres que dan a luz por primera vez).

**Bután**

Cuando Resa nació ya fue considerada con un año de vida. A los fines de una entrevista, a menudo es difícil establecer la edad de un niño porque la mayoría de los nacimientos ocurren en el hogar, y la fecha no registra. Los cumpleaños no son una parte importante de la cultura. Durante los meses prenatales, un niño se considera un nuevo miembro ya existente de la familia que generalmente es extensa donde se incluyen a tres generaciones, las cuales viven en el mismo hogar. En los partos en el hogar tradicionales en Bután, la posición de la madre está en cuatro, sobre sus manos y rodillas, activamente involucrada con el parto. Sin embargo Resa nació en un hospital, con la madre acostada de espaldas, incapaz de ser tan activa en el parto.

A partir de los 18 años, imitando a su propia madre, y durante todo el embarazo, la madre de Resa era adicta al *doma* o la nuez de betel. Esto es bastante común y no se considera un vicio a pesar de que se sabe que causa cáncer de boca. Algunas personas mastican doma solo una vez al día, y otras muchas veces al día. La madre de Resa explicó: "Te hace sentir cálido, relajado y feliz". La madre de Resa lo masticaba hasta 24 veces al día, 7 días a la semana. Las enfermeras la regañaron en el hospital, pero ella lo tenía escondido en el bolsillo para llevarlo durante el parto. Esto fue fácil de hacer dur, ya que era una cultura muy modesta; ella estaba completamente vestida con una *kira* (falda), *wongjo* (blusa) y *dego* (chaqueta con bolsillos).

### *Vinculación, el período simbiótico*

### Asistente a la Infancia

Enseñamos a los padres sobre la entrega suave del recién nacido, sobre la ropa suave y sobre la importancia de una atención detallada al ambiente preparado tal como lo experimentará el recién nacido. También enseñamos la importancia de limitar las visitas a la familia de un nuevo bebé en las primeras dos semanas. Esto brinda al recién nacido la oportunidad de conocer a los padres y hermanos, adjuntando información visual y sensorial a las voces que el bebé ha escuchado durante el embarazo.

**Bután**

En el budismo tibetano, las palabras duras, la ira y otras expresiones de emociones negativas se consideran deficiencias mentales que uno debe aprender a eliminar. Como resultado, el habla tranquila y suave y el comportamiento amable son una parte natural del entorno del bebé desde el principio. La vinculación en los primeros días está protegida en Bután por una antigua tradición.

Debido a que las paredes de las casas tradicionales están hechas de barro golpeado, no hay fuente de agua en la casa, lo que podría causar la destrucción de estas paredes. Incluso los inodoros y contenedores de baño se mantienen fuera de la casa. Debido a esta falta de agua en el hogar, los estándares de limpieza son diferentes, y después de un parto en el hogar, el hogar se considera contaminado. Nadie puede visitar hasta que se realice una ceremonia de limpieza o una puja budista.

La granja de la familia de Resa

La mayoría de las familias participan activamente en la agricultura. La granja tradicional tiene tres pisos a los que se accede por escaleras que son más como escaleras de mano. El primer piso de la granja de la familia de Resa está ocupado por animales de granja y es un lugar de almacenamiento de granos. El segundo piso contiene la cocina, el dormitorio, la sala de estar/comedor y una gran sala de oración con un altar que ocupa toda una pared. Esta pared está bellamente decorada con máscaras de madera talladas, pinturas, telas de brocado, esculturas, estatuas, lámparas de aceite, ofrendas de flores y frutas, e incienso. El tercer piso está parcialmente abierto al aire, ya que es el lugar donde las hierbas y los pimientos se secan y los cultivos se almacenan durante el invierno.

La puja o bendición de Resa se celebró cuando tenía tres días, como es tradición. Se contrataron tres monjes y el evento tuvo lugar en la sala de oración familiar. Durante 2.5 horas, mientras la familia continuaba con sus tareas agrícolas y domésticas, los monjes cantaban oraciones, quemaban incienso, y tocaron los cuernos budistas, tambores grandes y pequeños, y campanas. Luego se les dio el almuerzo. Cuando terminó la celebración, el resto de la familia, los que no viven en la casa, llegaron con regalos de ropa y comida.

Uno de varios monjes budistas en la bendición de Resa.

Como resultado, Resa tuvo tres días completos a solas con su familia, uniendo los rostros y los olores de todas estas personas con las voces que escuchó durante el embarazo. Pudo conocer a su propia familia de una nueva manera.

Resa durmiendo la siesta en la cama familiar.

Hay dos cosas que aprendemos en el curso Montessori que ayudan a mantener los hábitos saludables de sueño de un niño. La primera es respetar la sabiduría del niño sobre cuándo dormir y por cuánto tiempo, nunca despertarlo cuando está durmiendo.

El segundo es darle a un niño su propio lugar para dormir donde esté seguro, donde pueda explorar el entorno visualmente (sin cunas o barras de corralito), y donde pueda entrar y salir a voluntad cuando esté listo a gatear para explorar la habitación. En lugar de una cuna, tiene un colchón en el suelo. En Occidente, las parejas generalmente tienen relaciones sexuales por la noche en su propia cama privada. Si el bebé se mantiene en la cama de los padres todas las noches desde el comienzo de la vida, llegará un momento en que los padres querrán reanudar su vida sexual. Entonces el bebé será sacado. El infante puede confundirse y lastimarse por este aparente rechazo. Sin embargo, si ha estado acostumbrado a dormir en su propia cama al menos parte de cada día o noche desde su nacimiento, el cambio será más natural y menos traumático.

**Bután**

Cuando no estaba siendo llevada en la espalda de alguien, Resa fue colocada en una manta o estera tejida en el suelo. Podía irse a dormir y despertarse de acuerdo con sus propios ritmos naturales, al aire libre cuando la familia estaba cosechando manzanas o arroz, o cuando la familia estuviera dentro de la casa.

Existe un gran tabú en contra de despertar a una persona dormida, ya que dormir y soñar se consideran estados mentales muy importantes.

Como en muchos lugares en los que he estado en Asia, hay una habitación principal para dormir para toda la familia. En Bután hace mucho frío en los meses de invierno y no hay calefacción. Entonces dormir juntos en una cama es la forma en que una familia se mantiene caliente. Antes de que Resa naciera, los padres y la hermana de 6 años dormían juntos. Inmediatamente después del nacimiento, Resa se acostó con su madre por un tiempo y luego en la cama familiar con su hermana y sus padres. Una gran diferencia en las culturas donde las familias duermen en la misma cama para siempre es que las noches no son para el sexo. Las camas en la noche son para dormir, para mantenerse calientes, para estar seguros, pero no para tener relaciones sexuales.

En una casa moderna donde me alojé en Bután, hay dos habitaciones, pero donde uno duerme depende de muchas cosas. Una noche el hijo estaba enfermo y asi que el padre se acostó con él para consolarlo. Si la hija o el hijo se quedaban dormidos en la cama de los padres, ellos no lo movian; se quedaban allí y uno de los padres dormía en la cama del niño. Cuando un tío estaba de visita, el hijo se acostaba con él porque eran grandes amigos y una visita es especial. Claramente, en este hogar más moderno, la familia está haciendo gradualmente la transición de una cama para toda la familia a la forma moderna, que es tener más de una cama.

*Comida*

**Asistentes a la Infancia**

Por supuesto, la lactancia materna es la forma recomendada de alimentar al bebé siempre que sea posible, y amamantar cuando el bebé tiene hambre, no en un horario impuesto. Al Asistente Montessori a la Infancia se le enseña la importancia del contacto visual entre la madre y el bebé; una atmósfera tranquila que permite al bebé vaciar completamente un seno y despegarlo naturalmente en lugar de interrumpirlo; evitando distracciones como leer, mirar televisión o hablar por teléfono durante la alimentación.

La lactancia materna es una primera experiencia poderosa en una relación entre dos personas y crea la base para las relaciones íntimas durante toda la vida.

Alrededor de los seis meses, cuando un niño puede sentarse naturalmente y por otras razones, introducimos otros alimentos gradualmente. Esto se realiza en una mesa y silla bajas, con pequeños cubiertos y un vaso pequeño, para seguir el deseo del niño de ser independiente y aprender nuevas habilidades. No recomendamos botellas/mamaderas a menos que haya una emergencia. Esta es información nueva para muchos padres en nuestra cultura, pero no es el caso en Bután.

**Bután**

La madre de Resa había amamantado a Resa de una manera que era consistente con las enseñanzas Montessori Asistenta a la Infancia. Pero como actualmente los televisores y los teléfonos celulares están llegando a Bután, esta fue un área donde pude validar sus prácticas tradicionales, y proteger a las madres de caer en hábitos modernos que no admiten una alimentación saludable, como mirar televisión mientras amamantan.

Durante los primeros meses de lactancia, la madre de Resa comió más pollo, mucha leche, té con leche, carne de res y huevos. Un monje me dijo que, cuando era niño, él y sus hermanos estaban muy felices cuando nació un nuevo bebé en su familia porque eso significaba que la madre luego comería más huevos. Los huevos son un manjar caro en Bután, y cuando una madre necesita más huevos, los comparte con el resto de la familia.

En ciertas épocas del año, se ven pimientos picantes en todas partes, que cuelgan de las ventanas y se secan en los techos, para mantenerlos por todo el invierno.

"*Ema datshi*" (pronunciado ay'ma dot'si) es el plato nacional y una de las comida bhutanesas más populares. *Es una receta de cebolla, ajo, aceite, tomate, queso casero y pimientos parecidos a los jalapeños. Todos los días se sirve una variedad (con varias verduras pero siempre pimientos picantes y queso) con arroz rojo o blanco, a veces para el desayuno, el almuerzo y la cena. Durante los primeros meses de lactancia, lo que más extrañó la madre de Resa fue este plato, ya que le daba diarrea a la bebé Resa.

Tradicionalmente, cuando el bebé tiene alrededor de dos meses, una madre prepara una comida cocinada compuesta de harina de arroz, agua, mantequilla y sal. Este preparado se hierve hasta que espesa, luego madre se la mete en la boca con la mano y luego de la boca a la del bebé. Ahora que se han presentado las cucharas a Bután, Resa recibió esta comida de una pequeña cuchara en lugar de la boca de su madre.

Desafortunadamente en este momento, a Resa también se le ofreció un cereal enlatado de la India en otro nuevo "invento" llamado el biberón de plástico. Me preguntaron si era cierto lo que decía la publicidad, que la fórmula enlatada era mejor para el niño que la leche materna y un cereal que ha superado la prueba de cientos de años. Puedes imaginar mi respuesta.

Las comidas se toman en el piso. En lo que respecta a que Resa mientras aprendía a alimentarse, esto era natural porque le resultaba fácil observar a los demás comer y unirse cuando fuera capaz.

Las sillas se introdujeron recientemente en Bután, como en muchos países asiáticos, lo que podría tener algo que ver con la agilidad de las personas mayores en estos países. Personalmente, noto que no hay tantas personas con problemas de espalda cuando se sientan en el piso para cocinar, hablar, comer y trabajar.

En lugar de usar utensilios, la comida se recoge y se coloca en la boca con la mano derecha en lugar de usar los cubiertos. Esto significa que fue muy fácil para Resa imitar a quienes la rodeaban, sentarse tan pronto como pudo y alimentarse apenas estuvo interesada y capaz de hacerlo. A los un año de edad, Resa estaba comiendo todo lo que la familia comía, excepto los chiles picantes, y ella pudo alimentarse. A los 18 meses todavía mamaba una o dos veces al día; esto sucedia por la mañana antes de que su madre se fuera al trabajo y por la noche.

*Movimiento, músculos grandes y pequeños*

**Asistentes a la Infancia**

Durante el primer año, cada niño tiene su propio calendario de progreso en el desarrollo de músculos pequeños, como en las manos, las muñecas, las piernas y brazos. Esto sucede para posteriormente gatear, levantarse, pararse, caminar y lograr el equilibrio para transportar objetos mientras camina. Aprendemos a observar sus intentos y a organizar el ambiente de tal manera que el niño pueda practicar estas habilidades evolutivas en cualquier momento, sin depender de un adulto.

Retenemos la tentación de darle al niño nuestras manos y levantarlo para practicar a caminar. Tambien evitamos caminadores y otras "ayudas" de movimiento que transmitan el mensaje de que los esfuerzos del niño no son lo suficientemente buenos. Ofrecemos una variedad de sonajeros y otros juguetes que le permiten al niño practicar varios grupos musculares de la mano. Dejamos la elección de qué manejar y cuándo, enteramente al niño, confiando en su guía interna hacia un desarrollo óptimo.

**Bután**

Resa no se apresuró en absoluto en estos hitos del desarrollo. Comer, hablar y hacer trabajo manual se hace en el piso o en un taburete bajo en una casa de Bután, por lo que fue fácil para ella observar e imitar a los demás. Ella era libre de explorar y pasear por la casa.

Cuando estaba aprendiendo a gatear, las puertas que llevan a la escalera se mantuvieron cerradas porque el acceso a los pisos superiores o inferiores no era seguro. Los umbrales de las puertas entre las habitaciones son de 6 a 8 pulgadas de alto por una razón muy interesante; se cree que los espíritus de los antepasados muertos, llamados *dayes*, todavía están con nosotros. A veces estos fantasmas están enojados o dan susto. Se cree que, a pesar de que todavía tienen sus formas humanas, no caminan como humanos, sino que arrastran los pies, deslizandolos hacia adelante en lugar de levantarlos. Los topes de puerta son altos pues impiden entrar a las habitaciones de la casa. Cualquiera sea la razón, estas jambas de las puertas ayudan a mantener a salvo a un niño que está aprendiendo a gatear.

Una maestra de Montessori de India me explicó que existen las mismas jambas altas en su país, y cuando un niño aprende a subir por encima de la jamba de la puerta, se considera un hito importante del desarrollo y se marca con una celebración especial.

Los juguetes especiales para niños no son parte de esta cultura, pero los niños son libres de manipular objetos en el mundo de los adultos. Entre ellos se citan utensilios de cocina, ollas, sartenes, platos, cestas tejidas, materiales artesanales, tallos de arroz que se recogen en los campos, bolas de hilos de colores que esperan el telar para tejer las hermosas telas butanesas, y así sucesivamente. Hay una variedad de objetos interesantes para explorar y Resa pudo seguir sus intereses. Tambien pudo mejorar la destreza y el control de las manos al manipular y tocar todo lo que se consideraba seguro.

*Lenguaje*

**Asistentes a la infancia**

La atención al uso de un lenguaje respetuoso y preciso cuando está en presencia de un niño continúa a lo largo de los años desde el nacimiento hasta los tres años. Ayudamos a los padres a comprender los efectos negativos de la televisión y demasiada radio.

Compartimos la importancia de proporcionar un vocabulario rico o un lenguaje formal (por ejemplo, poesía, canciones) y el lenguaje del entorno del niño.

Sobre todo, enfatizamos la importancia de escuchar al niño con toda la atención, hablarle al niño con un tono normal y no infantilizar las palabras, más bien exponerlo a un rico intercambio de lenguaje por parte de otros en el ambiente.

**Bután**

Desde su nacimiento, Resa estuvo con la familia y a menudo llevada a la espalda de familiares y amigos en un largo tejido especial, o *kamnay*. Ella dormia en la misma cama que su madre o el resto de la familia, en la casa, el campo o mientras visitaba a otros. Así, la exposición al lenguaje fue rica.

Observé una y otra vez que se habla con respeto a los bebés y niños pequeños y sin la voz infantilizada tan común en nuestras culturas. Debido a que los budistas creen que volvemos una y otra vez en diferentes cuerpos, respetan el espíritu adulto que ha adquirido sabiduría a lo largo de varias vidas y no está comenzando la vida como la pizarra limpia de la teoria de John Locke.

La actitud de las personas hacia los nombres propios es única en la cultura budista tibetana: se le da muy poca importancia al nombre de una persona. La gente en el pasado en Bután solo tenía un nombre y tener dos es algo reciente. El nombre de mi anfitriona, que recibió su diploma Montessori en Tailandia, donde nos conocimos, es Dendy, pero ella y su esposo les han dado a sus hijos dos nombres. Si alguien tiene dos nombres, como Sonam

Dechen, y uno pregunta cuál usar, la respuesta a menudo es: "No importa".

Un dzong, o un templo más pequeño, es donde va un bebé para obtener su nombre.

Un bebé se llama Oh (que es Dzongkha, el idioma de Bután, para bebé) hasta que se elige un nombre en el templo. Al final de tres meses, Resa fue llevada al templo local para ser nombrada. Una cesta de bambú que contenía muchos trozos de papel enrollado había sido colocada sobre el altar. Cada papel tenía un nombre escrito en él. Cualquier nombre puede usarse para un niño o una niña, por lo que esto no fue una consideración. Su madre seleccionó un trozo de papel, lo desenrolló y vio el nombre de Resa. Como es tradición, no hubo ninguna discusión; ese era su nombre. Para ser moderna, sus padres le dieron un segundo nombre para que sea oficialmente Resa Lhadon, pero Lhadon no es un apellido familiar. El nombre de la madre de Resa es Sonam Zangmo, y el de su padre es Karma Drukpa.

La música es una parte muy importante de la cultura butanesa y hay muchas canciones populares al igual que muchas historias tradicionales. A la hora de acostarse, los padres o abuelos de Resa le cantaban. A la edad de un año y medio, Resa sabía muchas canciones y los nombres de muchos de los objetos en el hogar.

La televisión y la radio han entrado en la casa de Resa y parecen incongruentes en esta antigua granja. La radio transmite canciones de Bután todo el día, y la estación de televisión nacional de Bután transmite un programa que reproduce canciones de Bután durante una hora al día y "Mr. Bean ", una serie animada británica. De estos programas, Resa ha aprendido muchas canciones y ha bailado como Mr. Bean. Es común que un niño a la edad de un año vea la televisión durante dos o tres horas al día. Entonces, a pedido de ellos, la familia y yo tuvimos una discusión interesante sobre el tema y cómo esto ha llevado a un aumento en el materialismo, la violencia y el comer en exceso en Occidente.

*Movimiento e independencia*

**Asistente a la Infancia**

Alrededor de los un año de edad, el niño aprende a caminar. A medida que pase el tiempo estará interesado en la habilidad de correr, caminar con cuidado, caminar largas distancias tirando o cargando objetos pesados y *haciendo un trabajo real dentro y fuera de la casa. También tiene el instinto de refinar los movimientos de sus manos en el trabajo real mientras coopera con el resto de la familia en el trabajo del hogar. Algunos juguetes, como bloques, pelotas, cordones de cuentas y rompecabezas, contribuyen a este progreso, pero mejor son las herramientas reales con un tamaño acorde para niños donde tienen la opción de hacer un trabajo complicado y desafiante que sea real.

**Bután**

Muy pocos niños en Bután tienen juguetes. He visto un patio de recreo escolar con más de cien niños de primaria en el recreo. No había estructuras para trepar ni columpios, ni pelotas ni juguetes. Fue increíble ver los juegos en ronda y otros juegos en constante cambio que los niños inventaron. Y tambien fue asombroso ver su creatividad con piedras utilizadas como canicas, una roca en forma de bola para rodar, y un saco hecho con gomas elásticas. Resa estaba constantemente en movimiento, o sentada pensativa y silenciosamente absorta escuchando una conversación de adultos u observando las acciones e interacciones entre ellos.

Una tarde, mientras visitaba a la familia, Resa comenzó a llorar y su hermana fue a la cocina y regresó con un vaso de leche para ella. La hermana derramó un poco en el suelo, regresó a la cocina y volvió con un paño para limpiarlo. Cuando la hermana entró en la habitación, Resa dejó de llorar, cogió la tela y procedió a limpiar el derrame.

Al ver su interés, la hermana tomó un recipiente con agua e hizo varios charcos más para que su hermana pequeña limpiara, lo cual lo realizó alegremente. Esto continuó hasta que Resa quedó satisfecha. Fue un hecho afortunado, ya que pude señalar que Resa probablemente no estaba llorando por hambre sino por falta de algo que hacer. Por lo tanto hacer un trabajo real a menudo es más significativo para la felicidad de un niño que incluso el hecho de comer. Al observer esto, la familia entendió el sentido de lo sucedido ya que se vieron reflejados en sí mismos.

Cuando nos íbamos, mi anfitriona Dendy fue a la sala de oración de la granja para encender incienso. Ella inclinó la cabeza y juntó las manos en oración, y luego comenzó a colocar una ofrenda de dinero en el altar.

Resa estaba de pie junto a ella y alcanzó el billete de 5 Ngultrum. Dendy se la entregó automáticamente para que Resa pudiera ser quien la colocara en el altar.

Mientras bajábamos la escalera hasta la planta baja y cruzabamos la puerta de la pared que rodeaba la casa, vimos que Resa había seguido a su hermana y se estaba uniendo a ella para barrer heno y excrementos de caballos.

Las expresiones faciales de los adultos no cambiaron ante las actividades en las que Resa eligió participar, ya que era un comportamiento normal ante ellos. No hubo comentarios como "Oh, es tan lindo. Resa está haciendo todo esto sola". Estaba claro que Resa podía participar voluntariamente en las actividades familiares y, al hacerlo, refinar su movimiento y alcanzar un nivel cada vez más alto de independencia y responsabilidad.

### *Vestirse y aprender a ir al baño*

**Asistente a la Infancia**

En nuestra cultura occidental, los padres a menudo necesitan mucha ayuda para comprender la importancia de que un niño aprenda a vestirse y desvestirse para ayudar al respeto propio, la independencia y el desarrollo físico. Y los cientos de libros sobre el tema de *ir al baño* a menudo son más confusos que útiles.

Tanto en el hogar como en la Comunidad Infantil Montessori, el énfasis está en preparar un ambiente que apoye la capacidad de un niño de aprender a ocuparse de estas funciones naturales. Recomiendo el libro Diaper-Free Before 3, del escritor Dr. Jill Lekovic, que sigue nuestro sistema muy de cerca.

**Bután**

Como en la mayoría de las etapas de desarrollo de los niños en Bután, aprender a vestirse e ir el baño son habilidades que se esperan que un niño aprenda cuando esté listo.

No son recompensados, castigados o manipulados para aprenderlos de acuerdo con un horario de adultos. No creo que haya discusiones especiales sobre ellos o que presenten problemas particulares.

En cuanto a vestirse y desvestirse, Resa quiere hacer todo lo que hace su hermana de 8 años. Ella imita sus bailes, quiere una mochila escolar como la que tiene, se prueba su ropa, etc. Ella usa una falda y una camisa cuando hace calor y pantalones largos cuando hace frío. Ambos son fáciles de quitar y poner. Las personas se quitan los zapatos cuando entran a un edificio de cualquier tipo en Bután tradicionalmente, por lo que los zapatos también son fáciles de quitar y poner.

Es común ver niños, y a veces adultos, orinando o defecando en los campos y a lo largo del camino. Cuando uno se da cuenta de que los baños han sido, hasta hace poco, un agujero en el suelo, es fácil enterder esta acción sin escandalizarse. He visto a muchos adultos ayudar a un niño a mantener el equilibrio mientras se pone en cuclillas a lo largo del camino, el niño en el proceso está aprendiendo gradualmente a hacerlo solo.

Resa era libre de ir a cualquier parte para orinar o tener una deposición, ya sea dentro de la casa o afuera, y alguien la limpiaba. La madre de Resa notó que, entre la edad de 1 a 1 ½, si Resa se mojaba o se ensuciaba al defecar afuera de la casa, a menudo entraba tranquilamente sola, se quitaba los pantalones y se ponía los limpios. Si quería ayuda, la pedía, pero su madre dijo que podía notar que Resa estaba empezando a querer privacidad y a cuidar de sí misma en cuanto a vestirse e ir al baño, y esto era respetado.

*Gracia y cortesía*

**Asistente a la Infancia**

Está claro en la sección anterior, que el movimiento está claramente relacionado con las áreas de *Vida Práctica* Montessori de *Cuidado del Ser* y *Cuidado del Medio Ambiente.* Pero el área Montessori de *Gracia y Cortesía* merece su propia sección. En la clase Montessori Asistenta a la Infancia, el maestro es muy consciente de que los adultos son los elementos más importantes del entorno del niño. Los niños nos estudian constantemente para aprender a ser. Como resultado, cuidamos nuestros movimientos, cómo hablamos, cómo usamos nuestras manos, cómo comemos y las palabras que usamos y nuestro tono de voz; estos son nuestros roles más importantes como modelos de Gracia y Cortesía.

**Bután**

Resa preparando la comida del autor sin que se lo pidan

Bután es el único país que he visitado donde hay toda una ciencia social dedicada a la práctica de la gracia y la cortesía. El suegro de mi anfitriona era un maestro de *Driglam Namsha* (gracia y cortesía) para estudiantes en el último año de lo que llamamos escuela secundaria. Esta es la educación tradicional de etiqueta social destinadAsistenta a la Infanciancultar los hábitos de gracia y una actitud amable. Estas lecciones tienen que ver con caminar, vestirse, hablar y saludar a los demás, muchas de las lecciones que en Montessori llamamos

Gracia y Cortesía. Debido a este valor de respeto y buenos modales hacia los demás en la cultura, los padres modelan este comportamiento para sus hijos desde el nacimiento. Ellos, naturalmente, usan una voz modulada y movimientos suaves.

Un día, cuando una vecina me vio salir de la casa, se acercó al niño muy pequeño que tenía delante y le mostró cómo juntar las manos e inclinar la cabeza para saludarme con respeto. Aparte de esta sutil guía de una abuela a un niño muy pequeño, no vi a nadie que les recordara a los niños que digan por favor, que digan gracias o todos los demás recordatorios que utilizamos que no funcionan. En cambio, los adultos son modelos constantes que los niños desean imitar antes que seguir instrucciones verbales.

En general, las personas brillan con salud, son fuertes y elegantes en sus movimientos. Creo que en parte se debe a que todos hacen algún tipo de trabajo físico, y porque caminar es la forma común de llegar de un lugar a otro en Bután. No es raro que los niños caminen más de una hora hacia y desde la escuela, para las personas caminar *millas con un montón de heno en sus espaldas, o llevar comida del mercado a la casa. A menudo se ve a una persona que no lleva algo para ayudar a llevar parte de la carga de otra persona.

Cuando uno tiene la suerte de tener un automóvil, es común extender la cortesía de recoger a las personas que caminan hasta que no haya más espacio en el automóvil. Cada vez que llegamos a casa en el automóvil con comida u otros paquetes, los niños salian corriendo y pidian ayuda para llevar cosas dentro de la casa. Incluso cuando subia a mi habitación, si uno de los niños estaba allí, insistia en ayudarme a subir la carga.

Una merienda consiste en té de leche salada mezclada con un grano tostado y molido llamado tsampa. Esta comida se ha comido durante cientos de años en toda la región del Himalaya. Cuando tuvimos esto en la casa de Resa, no solo mezcló su propio té y tsampa, sino que también mezcló el mío. Tal consideración y amabilidad es común en los niños tanto como en los adultos.

El autor con estudiantes Montessori de la escuela Yoezerling en Paro, Bután

En 2002 conocí al Dalai Lama por primera vez y estudié con un maestro que había venido con él desde el Tíbet a la India en 1959. Creo que es por esta experiencia y por el hecho de que tengo un nombre de dharma budista *Sonam Dechen* por el cual a menudo me presentan en Bután, que he tenido una buena acogida en la vida privada de las familias butanesas.

### *Conclusión*

A menudo hay una tendencia a idealizar o idealizar culturas que no han sido corrompidas por la influencia de Occidente. Espero no haber hecho esto aquí. Hay elementos buenos y malos de todas las culturas.

Bután es hermoso y espiritual, pero hay ratas, piojos y sanguijuelas, inodoros que no son más que agujeros en el suelo, y sistemas de educación y atención médica modernos que solo están disponibles para unos pocos.

El budismo y el hinduismo en algunas áreas no son religiones aprendidas en los libros, sino que la gente las vive a diario, por lo que hay una especie de paz, paciencia y generosidad que es muy especial.

Es un honor tener la posibilidad de trabajar en Bután. He estado allí solo durante tres visitas cortas, así que estoy empezando a aprender sobre Bután. Mi objetivo ha sido descubrir y validar lo que contribuye a una crianza y educación saludable en esta cultura. Tambien ha sido compartir con estos padres y maestros lo bueno y malo sobre la cultura moderna que hemos aprendido en Occidente.

Se ha demostrado que Montessori funciona con todos los niños alrededor del mundo a lo largo de la historia. Pero debe adaptarse al tiempo y lugar de los niños de cada país, especialmente en la vida práctica, idioma, y áreas culturales. Cuando se respeta su propia cultura, se abre la puerta al interés y al respeto por todas las demás culturas - esto es un paso hacia la paz mundial.

# Maria Montessori

María Montessori nació en Italia en 1870, y a los 26 años se convirtió en la primera mujer MD en Italia. Como doctora en medicina, interactuaba constantemente con niños pequeños y se interesó mucho en su desarrollo, al darses cuenta de que la calidad y la interacción con su ambiente influían mucho en él.

Su enfoque de la educación de los niños se basó en su propia base sólida en biología, fisiología, psiquiatría y antropología. Basó sus conclusiones en la experiencia personal con niños de muchos países y razas, niveles sociales, condiciones economicas, ect.

Ella basó sus teorías en la observación directa de los niños, sin aceptar opiniones o teorías preconcebidas sobre sus habilidades. Ella nunca intentó manipular el comportamiento de los niños mediante recompensas o castigos hacia un fin. Constantemente experimentó y desarrolló materiales basados en los intereses, necesidades y habilidades de desarrollo de los niños. Ella dijo:

> *Al igual que otros, creí que era necesario alentar a un niño mediante alguna recompensa exterior que adulara sus sentimientos más básicos, como la glotonería, la vanidad o el amor propio, para fomenter en él un espíritu de trabajo y paz. Y me sorprendió cuando aprendí que un niño a quien se le permite educarse a sí mismo realmente abandona estos bajos instintos. Luego insté a los maestros a que dejaran de dar premios y castigos ordinarios, que ya no se adaptaban a nuestros hijos, y que se limitaran a dirigirlos suavemente en su trabajo.*

La universalidad del método de la Dra. Montessori ha demostrado ser válida y útil desde hace más de 100 años.

# El Programa Montessori de Asistentes a la Infancia

La mayoría de las lecciones en una comunidad infantil, como en otras clases Montessori, se dan a un solo niño a la vez.

A comienzos de 1940, estuvo claro para la Dra. Montessori que la edad de 3 años, la cual había sido la edad más temprana para sus cursos de entrenamiento de maestros hasta ese momento, era muy tarde para comenzar el soporte efectivo para completar el desarrollo natural de los niños. Les pidió a sus amigos en Roma que investigaran cómo unir un curso desde el embarazo hasta los 3 años. Los padres y maestros Montessori que estaban interesados en los primeros tres años de vida, y en el desarrollo del niño antes de que tuviera la suficiente edad para asistir a una Escuela Montessori, ayudaron a diseñar este curso.

Basado en miles de horas de observación e investigación, los primeros cursos en Roma atrajeron a los estudiantes educados. Los graduados eran conocidos como *Asistentes a la Infancia.*

A comienzos de los años 1950, una pediatra Italiana, Silvana Quattrocchi Montanaro, estaba dando a luz a su primer hijo, y mientras estaba en el hospital en Roma, conoció a una nueva madre quien había contratado una Asistente a la Infancia para ayudarla durante el parto y las primeras semanas en casa. Pronto la Dra. Montanaro fue invitada a dar una conferencia al curso de Asistentes a la Infancia.

En 1979, en un congreso AMI en Amsterdam, la Dra. Montannaro habló acerca del niño de 0-3 años. Karin Salzmann, quien era entonces la presidente de AMI/ USA (La Asociación Montessori Internacional en los Estados Unidos), estaba en la audiencia. Ella invitó a la Dra. Montannaro a los Estados Unidos donde ya existía un movimiento próspero para crear buenos colegios para niños de 3-12 años. En el mismo año, un seminario de dos semanas, proporcionó una breve descripción del entrenamiento Asistentes a la Infancia. Este fue presentado en Tarrytown, Nueva York para introducir esta maravillosa nueva información acerca del niño durante sus primeros tres años de vida.

En 1980, el primer curso de capacitación AMI de un año de duración se implementó en Roma y 6 estadounidenses, incluyendo a Judy Orion, recibieron el diploma de Asistente a la Infancia. Dos años más tarde la

Dra. Montanaro y Gianna Gobbi dieron el primer curso en Texas, entre los años 1991-1992, al cual asistió la Sra Orion.

Susan Mayclin Stephenson, la autora de *El Niño Alegre, Montessori desde Nacimiento hasta los Tres Años,* obtuvo su diploma de Asistente a la Infancia en el Instituto Montessori de Denver - Colorado, bajo la dirección de la Dra. Montanaro y la Sra. Orion.

Este libro es un corto recorrido de algunas cosas enseñadas durante el curso de Asistentes a la Infancia. Que tanto le tomó leerlo? Horas? Días? Imagínese más de cuatro meses intensivos, de tiempo completo con un entrenador, más 250 horas de observaciones escritas, aprendiendo acerca de esto.

El curso de Asistentes a la Infancia es altamente recomendado para cualquiera que quiera aprender más, y continuar aprendiendo, acerca del desarrollo humano, comenzando en los primeros tres años de vida.

Para obtener más información, comuníquese con La Asociación Montessori Internacional en Amsterdam, Países Bajos.

# SOBRE LA AUTORA

Susan con el Dra. Montanaro
durante el curso de Asistentes a la Infancia realizado
en Denver en 1992

En 1963-1964 Susan Mayclin Stephenson pasó cuatro meses asistiendo al primer curso universitario a bordo de un barco, conocido como el Semestre en el Mar, viajando y estudiando las culturas de Europa, el Medio Oriente y Asia. Esto despertó un interés de por vida, relativo a las diferencias y similitudes entre culturas, especialmente en la crianza de los niños.

Después de obtener un título con doble especialización en religiones comparativas, en la Universidad de San Francisco, Susan trabajó como consejera en un centro de detención de delincuentes juveniles. Fué esta experiencia que tuvo con estos jóvenes con problemas, que provenían tanto de las comunidades más pobres como de las más ricas del área de San Francisco, que la convencieron de que para alcanzar el potencial de los individuos y de la sociedad, es major comenzar lo más temprano possible en la vida.

En 1971, Susan obtuvo un diploma 2.5-6 en el Instituto María Montessori (MMI por sus siglas en inglés) en Londres, Inglaterra y el diploma 6-12 en el Instituto Montessori de Washington D.C. (WMI por sus siglas en inglés)

Después de veinte años de haber sido profesora de niños entre 2 y 13 años de edad, alcanzó el diploma 0-3, o Diploma de Asistentes a la Infancia en el Instituto Montessori (TMI por sus siglas en inglés) en Denver Colorado, completó su título de masters en educación en la Universidad de Loyola, de Maryland, y tomó un curso sobre inteligencias múltiples de Howard Garner en la Escuela de Post-Grado de Educación en la Universidad de Harvard. Sus dos hijas también han asistido al curso Montessori de Asistentes a la Infancia para convertirse en las mejores madres posibles.

Susan ha visitado más de 60 paísses y a menudo comparte sus experiencias en estos países por medio de su arte, con mayoría de las veces con sus pinturas al oleo que pueden ser vistas en su sitio web. Ella ha trabajado con padres y profesores, ha documentado las etapas de desarrollo de los niños, ha servido como consultora en colegios, y se desempeñó como examinadora en los cursos de capacitación Montessori.

Su sitio web es: www.susanart.net

# ACLAMACIÓN A EL NIÑO ALEGRE: MONTESSORI DESDE EL NACIMIENTO HASTA LOS TRES AÑOS Y OTROS LIBROS

*Después de tener a nuestra hija, comencé a leer varios libros de educación temprana y, gracias a un amigo, conocí a Montessori.* El Niño Alegre: *Montessori, sabiduría global para informarse desde el Nacimiento hasta los 3 años, fue el primer libro de Montessori que leí y también mi favorito, así que decidí traducirlo para mis compañeros de habla persa en Irán y otros países. Mi esperanza es aplicar la ciencia de datos a la educación temprana para un futuro mejor para todos los niños de todo el mundo. Como dijo la Dra. Montessori, "El niño es a la vez una esperanza y una promesa para la humanidad" (Educación y paz).*

—**Mahdieh Taher**, ingeniero de software, Irán

*Nos enteramos de que* El Niño Alegre *se tradujo al farsi, así que después de un poco de trabajo de campo pudimos rastrearlo en Teherán y un amigo está haciendo arreglos para que se lo entreguen a Kabul al personal. ¿No es maravilloso? ¡Estoy tan emocionada de que tengan un buen libro que no tengan que traducir por sí mismos! Es muy bien recibido por nuestro personal en la Casa de las Flores.*

—**Allison Lide**, Orfanato de la Casa de las Flores, Kabul, Afganistán

*Los 0 a 3 años y la adolescencia son etapas creativas con muchas similitudes en el desarrollo de la personalidad. Este libro es un viaje a la*

*grandeza de los primeros años de vida, un poema que honra la enorme valía de la etapa y la preparación constante del adulto y del ambiente.*

—**Eder Cuevas Iturralde,** especialista en adolescentes, Director de Desarrollo y Administración escolar y Director de la Sociedad afiliada de AMI en México

*El valor de la infancia es inmensurable, uno no puede vivirlo de nuevo, ni tendrá la oportunidad de vivirlo con un gozo tan inocente y una felicidad en armonía con la naturaleza, y esto es lo que Montessori ofrece.* El Niño Alegre *valida esta premisa una y otra vez. Gracias.*

—**Lhamo Pemba**, maestra Montessori de 3-6 y entrenadora, Bután / Tíbet

*Yo le doy es libro a todo nuevo padre y a madre embarazada que veo. ¡Debería ser un requerimiento leerlo en todas las clases prenatales y entregarse en los hospitales!*

—**Julia Volkman**, Docente Titular, Universidad de Harvard

Los primeros tres años de vida son definitivos en el desarrollo del cerebro y en su bienestar físico y emocional. Sus padres o cuidadores deben ser conscientes de su acompañamiento inteligente con mucho amor, ya que el niño absorbe del entorno toda información y así darle la oportunidad de alcanzar su máximo potencial.

*Pensando en los padres, que quieren mejorar su relación con sus hijos, que sean felices, el libro* El Niño Alegre, *nos lleva a conocer el entorno que*

*se require para un niño en sus primeros tres años, como observarlo día a día y saber evaluar sus progresos y retrocesos en su motricidad, en el desarrollo del lenguaje, en sus avances congnitivos, en su relación con los demás, dejándolo ser el niño quien es él.*

—**Melba Franky de Borrero MD**, Pediatra, Universidad del Valle, Cali, Colombia.

*Nosotros educamos nuestros tres hijos lo mejor que pudimos con lo que sabíamos en nuestros tiempos, buenos colegios, valores sólidos, viajes e idiomas extranjeros. Pero ahora, mirando a nuestro primer nieto siendo criado de acuerdo a los principios en* El Niño Alegre *y estamos sorprendidos de ver su independencia, amor por el aprendizaje, u habilidad para concentrarse y absorber del ambiente todo lo que lo rodea en tan corta edad. Ahora me doy cuenta de todo el aprendizaje que ocurre antes de la escolaridad, que es crucial preparar un ambiente en casa que facilite el desarrollo infantil. Estoy segura de que* El Niño Alegre *se convertirá en inspiración para otros padres y abuelos, como lo ha sido para nosotros.*

—**Carmen Abu-Dayyeh**, Palestina

*¡Estudiando* El Niño Alegre *me ayudó a formar mi entendimiento sobre el enfoque de 0-3 años cuando se inicia un colegio! Nosotros hicimos una traducción en ruso y distribuimos la información en ambos idiomas. Yo lo cito mucho cuando hablo con los padres de familia y con maestros.*

—**Valentina Zaytseva**, Colegio Montessori de Moscú (Rusia).

Los adolescentes quieren entender quiénes son y como llegaron a ser lo que son ahora. Algunas respuestas vienen de estudiar el desarrollo infantil, e invirtiendo tiempo con infantes y niños pequeños. El Niño Alegre, es una excelente fuente para información actual sobre el desarrollo infantil. Aún más importante, este texto crea una atmósfera de respeto por el niño el cuál cargaran con ellos cuando sean padres.

—**Linda Davis**, Administrador Montessori, Personal AMI para Orientación de Estudios de Adolescentes, USA

A nuestros estudiantes de secundaria se les pide que regresen los textos que utilizan (Matemáticas y latín) al final del año. Cada rostro se ilumina cuando yo les digo que El Niño Alegre es de ellos y lo pueden conservar. Una niña me dijo que ella lo guardaría hasta que fuese madre, y que lo iba a poner en práctica. El Niño Alegre agrega mucho a nuestras clases de desarrollo humano para nuestros jóvenes. Su uso da vida al desafío imaginativo de pensar en la crianza de los hijos, y guía a los adolescentes a pensar de una forma más generosa sobre sí mismos y sobre los demás. Muchas gracias.

—**Ann Jordahl**, Colegio Montessori de Lake Forest, USA

El Niño Alegre, *el cuál lo descubrí en Australia, fue la inspiración para mi trabajo en China y ahora más de 1,000 maestros y Asistentes, han recibido el entrenamiento. Para lograr informar a las personas acerca de la importancia de los primeros tres años de vida, y poder traer los entrenamientos AMI a la China, tuve la primera edición de* El Niño Alegre *traducido al chino Mandarín en el 2003. Gracias.*

—**Michael Guo**, China

*Cuando me topé con este libro, encontré las ideas de Montessori correctamente expresadas aquí. Usted escribió que en los primeros años de vida se les debe entregar a los niños el mundo real, la hermosa tierra, y no darles fantasía excitante, la cual debe ser entregada solo cuando puedan diferencial lo real de lo no real. Hoy en día, esto es tan importante que nunca debe ser olvidado.*

—**Mitsuko Bando**, director de un Jardín Infantil, Japón

*Detrás de muchos niños felices, confiados y calmados, hay una madre o un padre feliz, quien ha sido ayudado y guiado por el enfoque Montessori desde el nacimiento hasta los tres años.* El Niño Alegre *está lleno de sabiduría e ideas prácticas para ambos educadores y familias. ¡Gracias Susan por depositar todo el conocimiento de los 0-3 años en este libro maravilloso!*

—**Daniele and Aika W. Mariani**, Padres Montessori en Italia

*Afortunadamente encontré* El Niño Alegre *mientras estaba embarazada y consecuentemente usted me ha estado ayudando con el reto mas grande de mi vida: el de criar a mi hijo. Creo firmemente que esta es una guía que todos los padres, familias y maestros deberíamos tener, ofreciendo gran información de una manera fácil de entender y lo más importante, muy útil en su uso diario. ¡Gracias!*

—**Eva Prado**, madres, y maestra de inglés, Brasil

*La primera vez que aprendí sobre Montessori fue de un amigo cuando mi hijo tenia 14 meses de nacido. Inmediatamente terminé de leer* El Niño Alegre*, decidimos criar a nuestro hijo de una manera diferente. Encontré que la mejor manera de explicar nuestro enfoque a la gente (especialmente a*

*los suegros) era dándoles este libro para leer. Este texto descriptivo que narraba el desarrollo infantil era completo y presentado en un estilo muy legible.*

—**Jean Layton Rosas**, madre e ingeniera de software en Intel

*Te he visto aclarar las luces en las esquinas de la oscuridad sobre la tierra e iluminarla con amor y profundos pensamientos.*

—**Hiroko Izawa**, Guía Cultural Japonesa

El Niño Alegre *ha sido siempre parte de nuestro programa de educación parental: consejos prácticos, información y una fuente de ideas fantásticas para los padres, y como preparar el ambiente en casa para el niño en cada estadio de su desarrollo. Se lo recomiendo a mis estudiantes de los cursos AMI de 0-3 años. Está lleno de sabiduría.*

—**Heidi Philippart**, AMI entrenadora y maestra propietaria de un colegio en Ámsterdam

El Niño Alegre *es una introducción fácil a la filosofía Montessori para nuevos padres. Siempre entrego una copia como regalo de felicitaciones a amigos y familiares, en el anuncio de un embarazo. A todo aquel a quien le he regado este material de lectura, han apreciado el conocimiento expresado claramente y luego han buscado a Montessori en la educación y vida de sus hijos.*

—**Karey Lontz**, Asistente Montessori a la Infancia y maestra entrenadora, Denver, Colorado

*Cuando esperábamos la llegada de nuestro primer hijo, mi esposa y yo tradujimos* El Niño Alegre *al polaco. Tomó algo de tiempo, pero fue maravilloso para ambos. Aprendimos muchísimo haciendo las traducciones.*

—**Rafal Szczypka**, Polonia y Reino Unido

*El Famoso poeta indio galardonado y Montessoriano Rabrindranath Tagore dijo una vez: ¨ Cada vez que un niño nace, nos da esperanza de que Dios aun no está decepcionado del hombre. ¨ En el continente africano, y particularmente mi país en Sudáfrica, estamos a menudo sobre ese fino borde entre la esperanza y la desesperación. Son los niños los que ofrecen la esperanza y los adultos quienes algunas veces ofrecen el desespero. Lo que necesitamos en Sudáfrica son adultos quienes están informados y educados en el lenguaje infantil - necesitamos traductores de sus esperanzas para que podamos transformar nuestro continente en uno donde la esperanza es compartida entre niños y adultos.*

*Susan Stephenson, en sus libros* El Niño Alegre *y* EL Niño Universal, *nos ofrece la traducción que necesitamos, para que nosotros, los adultos, tengamos el conocimiento y la comprensión para facilitar la esperanza a cada niño. Gracias por ser una voz tan clara e inspiradora para los pequeños cuyas voces aún no han sido escuchadas.*

—**Samantha Streak**, maestra Montessori, Sudáfrica

El Niño Alegre *es el único libro que los padres realmente necesitan para entender como su hijo pequeño se desarrolla y aprende. La información dada para cada etapa del desarrollo es práctica y realista; los materiales sugeridos alientan y soportan estas etapas. Recomiendo mucho* El Niño Alegre *como un regalo de felicitación de anunciamiento a un embarazo o presente para un recién nacido. ¡No hay mejor momento de influencia positiva en las mente que guiarán las mentes de nuestras próximas generaciones!*

—**Carol Ann McKinley**, Educadora de Primera Infancia de Nueva Zelanda

*Cada uno puede hacer la diferencia en la vida de niños pequeños si tienen el conocimiento de las cosas simples que se necesitan. Muchas gracias por continuar con sus esfuerzos para un cambio permanente, para expandir el mensaje de ayudar a los niños a crecer y alcanzar su potencial humano.*

—**Judy Orion**, Directora de la división de entrenamiento de la Asociación Montessori Internacional, Ámsterdam

*Gracias por ayudarnos a hacer grandes diferencia en la vida de los niños.* —**Nertila Hoxha**, Asistente a la Infancia, Albania

*Creo que nuestro mayor propósito en la vida es encontrar felicidad, y ayudar a otros es un camino seguro para llenar este propósito. El bebé humano primero experimenta amor y compasión a través de su madre, y las personas que reciben el máximo afecto en estos primeros años, tendrán menos miedo y desconfianza por el resto de sus vidas y son más compasivos con los demás. Montessori es maravilloso para alcanzar este camino.*

—**El Dalai Lama** (Comentario de una reunión del autor y otros cuatro Montessorianos AMI más con el Dalai Lama en Sikkim 2013)

## Otros libros de esta serie, en Inglés

*Child of the World: Montessori, Global Education for Ages 3-12+*

*The Universal Child, Guided by Nature: Adaptation of the 2013 International Congress Presentation*

*No Checkmate, Montessori Chess Lessons for Age 3-90+*

*Montessori and Mindfulness*

*The Red Corolla, Montessori Global Education* (for age 3-6+)

## Libro de esta serie, en español:

*Niño Universal, Guiado por la Naturaleza*

Made in United States
Orlando, FL
12 February 2024

43600777R00174